LA PART
DE LA MÈRE

DU MÊME AUTEUR

OUVRAGES

L'Art d'accommoder les bébés. 100 ans de recettes françaises de puériculture (avec S. Lallemand), Paris, Seuil, 1979.
La Part du père, Paris, Seuil, 1981.
L'Enfant à tout prix. Essai sur la médicalisation du lien de filiation (avec A. Janaud), Paris, Seuil, 1983 ; nouvelle édition, coll. « Points actuels », 1987.
Enfant de personne (avec P. Verdier), Paris, Odile Jacob, 1994.

DIRECTION D'OUVRAGES

Les Sexes de l'homme, Paris, Seuil, 1985.
Objectif bébé : une nouvelle science, la bébologie (avec J. Bigeargeal), Paris, Autrement, 1985 ; nouvelle édition, Paris, Seuil, coll. « Points actuels », 1987.

GENEVIÈVE DELAISI

LA PART
DE LA MÈRE

Préface du Professeur Jacques Milliez

ÉDITIONS
ODILE JACOB

© ÉDITIONS ODILE JACOB, MAI 1997

15, RUE SOUFFLOT, 75005 PARIS

INTERNET : http ://www.odilejacob.fr

ISBN : 2-7381-0488-6

*À mes filles et à ma petite-fille
qui m'ont beaucoup appris
de la maternité,*

*et en souvenir de ma mère,
récemment disparue.*

PRÉFACE

L'hôpital est la scène du grand théâtre de la vie. Chamarrée ou grise, la foule des acteurs s'y anime, s'y mélange, s'y abandonne, dans une quête bigarrée d'assistance, un grouillement perpétuel d'émotions partagées, un foisonnement d'échantillons bariolés de la condition humaine. On y naît, on y souffre, on y meurt. La comédie côtoie le drame, le miracle la tragédie. Le surnaturel succède au tragique et les Mystères de la vie aux Mystères de Paris.

Un moment, c'est l'éternité, l'hymne à la joie, le jaillissement du cri d'un nouveau-né, l'émerveillement originel devant un petit d'homme qui vient au monde à peu près dans le même dépouillement de l'acte et la même nudité que du plus loin des temps et du plus reculé des points du globe.

Le moment d'après, surgit le sordide : la brutalité, individuelle ou collective, la bêtise, le racisme, la précarité, le viol, l'inceste, la mort subie ou préméditée. La nature charrie autant que l'homme son contingent de violence. Elle engendre sans préavis des enfants malformés, voués, pire encore qu'à la mort, à une vie de calvaire, qu'il faut brusquement interrompre. Il lui arrive de foudroyer les mères d'un cancer ou d'une tumeur au cerveau.

Viennent aussi, et à ce point c'est un peu nouveau, s'échouer là comme dans un havre de secours bien des misères qui demandent asile. Enceintes, ces femmes ne sont malades que de la surdité de leur famille ou de la société. Elles vivent dans un tunnel aveugle un cauchemar éveillé, sans autre issue peut-être que de retourner contre elles la violence meurtrière, tant les panique une

9

grossesse qu'elles ne peuvent assumer. Impossible de se dérober. L'assistante sociale, le médecin s'il veut bien, incarnent leur dernier recours, leur planche de salut avant le mur. Elles souhaitent, accouchées anonymes, abandonner leur enfant dès la naissance malgré la déchirure, ou demandent à interrompre leur grossesse. La bonne conscience médicale ou la loi quelquefois n'y trouvent pas leur compte. Séisme déontologique où l'ange de la vertu, qui refuse d'arrêter une vie, s'empoigne avec le démon de la compassion et de la révolte, qui finit, lui, par accepter. Ponce Pilate s'est lavé les mains, mais Simon a porté la croix, au mépris des forces de l'ordre, pour se charger d'une part du fardeau.

F. appartient à une période un peu antérieure à la saga de ce livre, mais son histoire en éclaire certains traits. Elle avait quinze ans, elle était enceinte, dans une famille nombreuse, religieuse et intraitable. Elle ne pouvait rien dire. Jusqu'au terme, elle a masqué sa grossesse. Elle a accouché seule, la nuit, dans les toilettes du domicile familial. Au petit matin, elle a été trouvée exsangue, transférée à l'hôpital et sauvée par miracle. Son enfant est mort pendant l'accouchement. Inculpée pour infanticide, personne n'avait rien remarqué. Elle n'avait rencontré à l'école aucun adulte, aucune enseignante, aucune infirmière, aucune assistante sociale à qui elle osât se confier. C'était hier, à Paris, pas du temps d'Eugène Sue ou de Zola. Que chacun s'interroge pour savoir si, la fois suivante, sollicité, il refuserait de tendre la main, au risque du scandale. Mort, où est ta victoire ?

« Pour dire que la vie est absurde, la conscience a besoin d'être vivante », écrivait Albert Camus dans *L'Homme révolté*. Avec patience, avec tact et discrétion, Geneviève Delaisi a écouté ces femmes en détresse, elle les a entourées et elle les a aidées. Du rose au noir d'encre, du pastel à la gouache et à l'eau-forte d'une gravure sur plomb, elle raconte admirablement une tranche

de vie à l'hôpital, quelques mois de sa vie d'ethnopsychanalyste en maternité.

Aujourd'hui, je sais pourquoi je lui ai demandé de
rejoindre l'équipe : pour mettre son talent au service de ces
femmes qui souffrent. Pas seulement pour les assister,
mais aussi pour témoigner, pour faire vivre notre
conscience, pour faire connaître et expliquer ces gémisse-
ments de l'âme que risquent d'étouffer les cris des nou-
veau-nés.

L'hôpital ne se résume pas à des pansements ou à des
médicaments, à des opérations réussies ou à des naissances heureuses. Il se nourrit aussi de cette humanité
dont les maladies ne figurent pas dans les traités de
médecine : la solitude, l'angoisse, le chômage, l'exclusion
sociale, la déstructuration familiale, la souffrance ou la
culpabilité du deuil de l'enfant, le sida, la toxicomanie, la
fatalité génétique. Elles ne font pas l'objet de publications
dans les journaux scientifiques à comité de lecture. Quelqu'un se devait donc de prendre l'initiative d'en parler.

Geneviève Delaisi en parle très bien parce qu'elle a un
secret : elle sait les écouter, toutes ces déracinées, ces
paumées, ces victimes. Elles ne demandent que très peu,
tout juste un peu d'attention. Et Geneviève Delaisi sait
la leur donner. Elle les écoute, elle les rassure, elle les
réchauffe. Mère, sœur et confidente autant que psychanalyste, elle déchiffre avec elles l'énigme de leur déchéance
et leur restitue ce dont elles se croient à jamais mutilées :
leur propre dignité.

Intelligent, son livre est émouvant, car il lui vient du
cœur. Tour à tour poignante, pittoresque, attendrissante
et fraîche, sa chronique nous emporte comme un flot
impétueux.

Comme le tumulte de la vie.

Pr Jacques MILLIEZ

À mes premiers lecteurs (Nathalie,
Estelle et Charlotte), aux critiques
« maternellement » constructives,
à mon mari qui a veillé à ne pas
me laisser mourir de faim
et de soif,

à Christophe Guias qui a bien
voulu « paterner » cet ouvrage.

SOCRATE : Mon art de maïeutique a les mêmes attributions que celui des sages-femmes. Mais il diffère du leur en ce qu'il délivre les hommes[1] et non les femmes, et que c'est leurs âmes qu'il surveille en leur travail d'enfantement, et non leurs corps. Mais le plus grand privilège de l'art que, moi, je pratique est qu'il sait faire l'épreuve et discerner, en toute rigueur, si c'est l'apparence vaine et mensongère qu'enfante la réflexion du jeune homme, ou si c'est un fruit réel et vrai. J'ai d'ailleurs cela en commun avec les sages-femmes qu'enfanter en sagesse n'est point en mon pouvoir, et le reproche qu'on m'a souvent fait d'interroger les autres sans que je ne donne jamais mon avis personnel sur aucun sujet parce que je n'ai en moi aucune sagesse, est un reproche qui ne manque pas de vérité.

PLATON, *Théétète*, VII, 150a-150e[2]

---

1. Comme le voulait l'époque, Platon entendait ce mot au sens d'homme, en référence au masculin ; pour ma part, j'interprète évidemment ce terme au sens de genre humain.
2. Je me suis fortement inspirée de deux traductions classiques, celle d'Émile Chambry (*Théétète, Parménide*, Paris, Garnier-Flammarion, 1967, p. 71) et celle d'Auguste Diès (*Parménide, Théétète, Le Sophiste*, Paris, Gallimard, coll. « Tel », 1926, p. 71).

Remerciements

Mes premiers remerciements vont à ces patientes qui m'ont tant appris sur la part de la mère dans l'enfantement. Évidemment, j'ai veillé à préserver l'anonymat de tous les protagonistes. Mais — ce point est essentiel au regard de ma déontologie propre — c'est aussi leur personne que j'ai respectée.

Mes remerciements vont ensuite — et c'est bien plus qu'une formule de politesse — au professeur Jacques Milliez qui m'a autorisée à publier ces histoires et a bien voulu les introduire.

Je remercie enfin chaleureusement l'équipe de la Maternité (médecins, surveillantes, sages-femmes, assistantes sociales, infirmières, aides-soignantes, brancardiers, secrétaires) qui m'ont fait confiance et m'ont accompagnée dans ce « voyage en maternité », et particulièrement les docteurs Jacques Bouillé, pédiatre, Béatrice Guyard-Boileau, gynécologue-accoucheur, Nicole Mulliez, fœtopathologiste, Marie-Françoise Reznikoff, immunologiste, ainsi que Mme Christine Tronchet, assistante sociale.

L'EXOTIQUE EST QUOTIDIEN [1]

Ce livre constitue un journal de bord de mon activité clinique (deux jours de présence par semaine) pendant six mois, en 1996, dans le service de gynécologie-obstétrique de l'hôpital Saint-Antoine, à Paris [2]. Pour éviter les effets de manche ou de sensationnel dans le choix et l'articulation des « cas », j'ai préféré à un découpage méthodologique ou thématique cette chronologie courte, me fiant au hasard qui avait amené sur le chemin de l'hôpital les patients dont je raconte l'histoire.

Certaines de ces histoires sont dramatiques. Je ne voudrais pas cependant que le lecteur croie qu'elles résument à elles seules l'ensemble de l'activité quotidienne d'une Maternité. Ce n'est, bien sûr, pas le cas. Dans ce lieu, on naît, on vit davantage que l'on ne meurt. Les gens heureux, comme on le sait, n'ont pas d'histoire. Mais les autres... Il arrive en effet que certaines femmes, certains couples basculent dans une réelle détresse ; leur existence prend alors un tour si compliqué que des intervenants de la Maternité (médecins, sages-femmes, assistantes sociales, infirmières) me les adressent pour les aider à en débrouiller les fils.

La réalité — événementielle autant que psychique — dont il sera question n'est pas une réalité à l'état brut, comme l'est par exemple celle des dossiers médicaux. Il

---

1. Ce titre est celui d'un ouvrage de l'ethnologue Georges Condominas, à qui je voudrais rendre hommage.
2. Il aurait d'ailleurs pu tout aussi bien couvrir une période située un an avant ou un an après sans que les « couleurs de la vie » en soient changées de manière significative.

s'agira toujours, nécessairement, d'une réalité reconstruite[3]. Les patients qui m'ont parlé d'eux m'ont livré leur lecture de leur propre histoire ; à mon tour, je me la suis racontée, puis je l'ai racontée en tentant d'utiliser les filtres épistémologiques *ad hoc*. Cependant, je n'ai pas voulu — ni pu — occulter toute visée documentaire (montrer la vie telle qu'elle est[4]). De ces histoires qui naissent dans une Maternité située au cœur d'une grande ville, de ces scénarios qui s'inscrivent à l'intersection du social, du psychologique et du culturel, il ressort *de facto* un témoignage sur l'état de la société, de la vie à l'hôpital, de la médecine. Certaines d'entre elles — mais pas uniquement elles, on le verra — constituent, à l'évidence, un « clignotant » de la paupérisation croissante de notre société.

Mon travail à la Maternité consiste à écouter les patients que l'on m'adresse, à tâcher de les aider ; à soutenir également les équipes qui s'occupent d'eux. Du fait de ma première formation, j'essaie d'abord d'appréhender les histoires de ces femmes, de ces hommes, de ces couples avec un regard ethnographique. Et c'est dans un deuxième temps, à partir du récit qu'ils me donnent eux-mêmes de leur histoire, à partir de leur version à eux de voir les choses et de les reconstruire, que je tente de donner un sens aux symptômes pour lesquels ils viennent me consulter. Je n'évoquerai pas dans ces pages le travail psychothérapeutique proprement dit que je mène, au long cours, avec certains patients. Je parlerai seulement de mères ou de futures mères, de pères ou de futurs pères vus quelques fois, à l'occasion d'une hospitalisation, de

---

3. Je suis plus sensible qu'auparavant aux phénomènes-écrans (qu'ils soient de l'ordre du souvenir ou de l'ordre du savoir) et à la dimension du récit (Paul Ricœur, bien sûr, a croisé mon chemin).
4. Si j'avais eu une caméra-stylo, j'aurais essayé de suivre les traces de Robert Flaherty (*Nanouk l'eskimau*, *Les Quatre du Moana*, etc.), comme l'enseignait Jean Rouch au Comité du film ethnographique lorsque j'étais étudiante en ethnologie au Musée de l'Homme.

consultations ou de séances, d'un suivi qui n'est pas forcément, au sens strict du terme, psychanalytique.

Ma méthode de travail — celle de l'ethnologue combinée à celle du psychanalyste — se situe à mi-chemin entre « l'observation participante » (outil de l'ethnologue) et « l'écoute bienveillante » (outil du psychanalyste). Cette approche possède une caractéristique essentielle qui est de reconnaître l'implication de l'observateur dans « l'objet » observé[5]. On verra que j'ai tenté, de manière aussi transparente que possible, de prendre en compte et d'analyser à la fois mes propres contre-attitudes — mes défenses — et la projection de mes fantasmes d'observateur dans « l'objet » observé. Je suis, moi aussi, sujet dans (de) ces histoires... Toutefois, je n'ai pas la prétention de m'être totalement libérée de l'angoisse de ma propre subjectivité ; entre réalité et vérité, entre observation et interprétation, il y a toujours un doute que j'ai soigneusement, et comme il se doit, cultivé.

J'ai choisi, pour écrire ce livre, une forme narrative particulière, entre récit et roman, celle de la « nouvelle clinique », dont le psychanalyste Paul-Laurent Assoun a donné une excellente définition : « La nouvelle clinique est une narration courte, centrée sur une scène, avec nouage et dénouement d'une situation dramatique, symptôme porté à son acmé[6]. » Ainsi, une trentaine de moments, de fragments de vie qui s'entrecroisent,

---

5. Ce concept fondateur de la sociologie de la connaissance est connu depuis Marx et Mannheim. Il a été ensuite repris et développé par l'ethnopsychanalyse, discipline dont Roger Bastide et Georges Devereux — mes professeurs et maîtres — ont été les pionniers. Devereux, en particulier, a bien mis en lumière le processus du contre-transfert, aussi bien dans la description des cultures que dans les interprétations psychologiques ou psychanalytiques. Voir *Essais d'ethnopsychiatrie générale* (Paris, Gallimard, 1970) et *Ethnopsychanalyse complémentariste* (Paris, Flammarion, 1972).
6. P.-L. Assoun, « Le récit freudien du symptôme », *in* « Histoires de cas », *Nouvelle Revue de Psychanalyse*, 1990, n° 42, p. 183.

composent *La Part de la mère* [7]. Ces récits sont parfois entrecoupés de réflexions cliniques et sociologiques. Ces histoires que j'ai écoutées, entendues, qu'elles fussent incroyables ou absurdes, vraies ou fausses, je me suis demandé ce qu'elles voulaient dire ; et je me suis interrogée sur leur sens [8]. Avec leurs thèmes qui se tissent et leurs discours qui s'enchaînent, elles se voudraient ainsi constituer des jalons pour une mythologie de la maternité.

Je m'étais essayée à cette approche il y a une quinzaine d'années, dans *La Part du père*, où je tentais de déchiffrer la réalité physique et psychique de la paternité. À l'époque, c'était un univers peu connu. Depuis, ce thème a fait florès. De nombreux livres — romans, essais, biographies —, mais aussi des films et des téléfilms — en particulier le film publicitaire — se sont engouffrés dans la brèche. À contre-courant de cette écume, je reviens donc, aujourd'hui, à mes premières amours : la « fabrication » et l'« élevage » des bébés [9], en essayant d'éclairer le continent noir de la maternité, cet état mystérieux et très particulier d'une femme qui, en accouchant, par son sexe qui s'ouvre [10], donne naissance à une autre personne, radicalement différente d'elle, sujet d'une nouvelle histoire. Sujet original qui va, même si les liens avec la mère de naissance se distendent quelque peu, voire disparaissent, « chanter [...] dans les branches de son arbre généalogique » (René Char). À son insu parfois (mais c'est une autre histoire)...

---

7. Le lecteur qui voudrait suivre telle ou telle de ces histoire en une seule fois pourra consulter l'index à la fin de ce livre.
8. La définition psychanalytique du mot « sens » peut se formuler ainsi : ce qui peut se dire autrement, ce qui peut se traduire en un autre langage.
9. Voir deux de mes livres précédents : *L'Art d'accommoder les bébés* (1979) et *L'Enfant à tout prix* (1984).
10. Je renvoie à la célèbre *Origine du monde* de Gustave Courbet, tableau d'une femme métonymisée par son seul sexe. Jacques Lacan en fut le dernier propriétaire ; on peut le voir aujourd'hui au musée d'Orsay.

Ce livre est, je l'ai dit, un journal de bord. Il se lit dans la chronologie de mes rencontres avec les patients. C'est que le temps est un élément très important de *La Part de la mère*. Il est ici linéaire, bien sûr, mais il reflète aussi une dimension cyclique tout à fait spécifique à la « maternité ». Écouter une femme enceinte de trois mois, de six mois, ou près du terme de l'accouchement, ce n'est ni la même histoire ni la même écoute, qu'il s'agisse ou non de la même femme. Le temps ne s'écoule pas non plus dans l'« enceinte » d'une Maternité comme il s'écoule dans la vie ordinaire. Tout se passe en effet comme si ce lieu, où plusieurs milliers de mères accouchent chaque année, était organisé comme une gigantesque horloge, avec un découpage temporel rythmé par une succession et une superposition de calendriers cycliques, invisibles mais cependant très actifs.

Le temps du cycle féminin, d'abord. La date des dernières règles est la question clé posée par les médecins à chaque consultation depuis le début de la grossesse. C'est le signe d'une histoire qui commence. Selon les expressions traditionnelles, bien significatives, une femme qui ne *les* « voit » plus est « tombée » enceinte, elle est « prise ». De la même manière, dans les histoires de fausses couches, la hantise des patientes, c'est de « les revoir » à la date habituelle...

Le temps des dix semaines de grossesse qui est, pour certaines, une date fatidique, celle de la limite légale pour une interruption volontaire de la grossesse [11].

Le temps des neuf mois de la grossesse est, bien entendu, le calendrier archétypique de la maternité : il se décompose lui-même en nombre de semaines et de jours qui, les derniers surtout, représentent une échéance très importante, dans les grossesses pathologiques comme dans les naissances prématurées.

---

11. En France en tout cas ; dans certains pays voisins, cette date est beaucoup plus tardive.

23

Le temps des échographies ; de la première, à quelques semaines de grossesse, quand les parents voient pour la première fois le cœur du fœtus battre, la seule où ils verront leur futur enfant en entier [12] ; à la seconde, l'échographie dite « de morphologie », à quatre mois et demi de grossesse, qui a une valeur quasi magique pour les parents. En passant par toutes les autres, reflets des inquiétudes — fondées ou non — des parents, des médecins, voire des deux.

Le temps de l'amniocentèse (quand elle est conseillée), à partir de quinze semaines de grossesse, est un moment chargé d'angoisse ; il en va de même pour le temps de l'attente du résultat (trois « longues » semaines).

Le temps des dates anniversaires est également un moment clé. Dans les histoires de fausses couches, de morts fœtales *in utero*, d'interruptions médicales de la grossesse, certaines dates anniversaires résonnent en effet douloureusement et s'avèrent particulièrement signifiantes pour les parents, surtout pour les mères. Celle, d'abord, du jour théorique prévu pour la naissance du bébé et qui figurait sur le carnet de maternité. Mais aussi la date anniversaire de « l'accident » (fausse couche, accouchement provoqué, mort *in utero*).

Or ces dates entrent souvent en résonance (un an, dix ans, vingt ans après le décès périnatal) avec des deuils plus anciens et dont le jour est parfois le même que celui de la mort du bébé. Telle cette maman dont le bébé — un garçon — est mort, probablement étranglé par le cordon ombilical, la veille du jour où une césarienne était prévue ; or ce jour se trouvait être la date anniversaire de la mort du père de cette mère (adolescente, elle l'avait trouvé, pendu, dans le grenier...). Ou cette autre mère dont le bébé est mort *in utero* le soir du jour où elle a appris que son père venait d'être tué dans un accident

---

12. Il dépassera, par la suite, la taille de l'écran...

d'auto ; l'année suivante, à la même date, cette mère a de nouveau vécu une mort fœtale *in utero*...

Le temps social est omniprésent lui aussi : c'est celui du congé de maternité, du congé postnatal, des arrêts de maladie, des arrêts de travail pour grossesse pathologique, etc.

Le temps de l'âge, enfin, se retrouve constamment en filigrane : les étapes de la puberté, le compte à rebours du « bon âge » pour avoir un enfant, le moment de la ménopause, les « trop tard », les coups de l'horloge biologique qui sonnent, ainsi que le disent souvent les femmes.

Entrer en maternité, c'est donc entrer, métaphoriquement, dans un immense agenda, à l'image du « calendrier-compas » (appelé par les professionnels « roulette de grossesse » [voir p. 26], sorte de « rose des vents » de la maternité médicalisée et socialisée) qu'ont dans la poche sages-femmes et gynécologues et où s'inscrivent mois, semaines, jours, date des consultations, date des échographies, jour des dernières règles, date du terme prévu, date à laquelle le terme de la grossesse sera dépassé, etc.

Le fil rouge de ce livre est, on le voit, le lien qui se noue entre vérité et réalité. « La vérité ne s'atteint qu'à travers des déformations », écrivait Freud. Le père de la psychanalyse a richement contribué à ce questionnement : d'abord en opposant réalité matérielle à réalité psychique (celle du monde intérieur, inconscient) ; puis, plus tard dans sa vie et dans sa réflexion, en proposant, dans *Moïse et le monothéisme*, la distinction entre vérité matérielle et vérité historique. En psychanalyse, la question du vrai se pose en effet autrement que dans son rapport au faux ; et le vrai n'est pas le contraire du faux [13].

Je pense me rattacher ainsi à un courant de pensée his-

---

13. Ce livre en offre plusieurs illustrations, dont la plus frappante est l'histoire de Sylvie (voir p. 34).

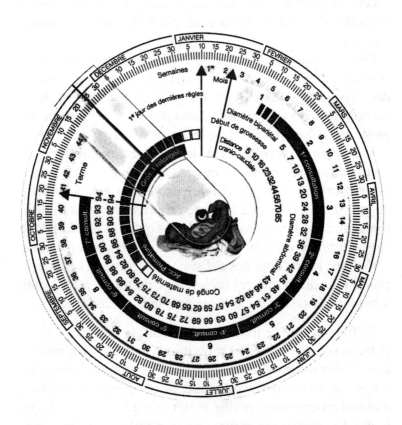

Roulette de grossesse. La première flèche indique la date des dernières règles de la mère enceinte. La deuxième flèche indique la date du début théorique de la grossesse (la conception a eu lieu en principe au quatorzième jour du cycle, par conséquent quatorze jours après le début des règles). À partir de là se fixe « chronologiquement » le terme de la grossesse : quarante et une semaines. Et ses « marges » : entre vingt-huit et trente-sept semaines, l'accouchement prématuré ; entre quarante et une et quarante-quatre semaines, la grossesse prolongée. S'inscrit du même coup, enfin, le temps social du congé de maternité.

26

torique qui réfléchit sur l'*histoire immédiate*[14]. L'histoire, on le sait, même celle des historiens purs et durs, n'est pas une science exacte ; c'est par la mise en consonance de sources diverses, donc par l'audition de nombreux témoins, qu'elle aboutit à des reconstructions crédibles. Les chroniques qui vont suivre se veulent ainsi être l'esquisse d'une petite « histoire du présent[15] », mélange de réalité, de vérité et d'actualité. Quelques touches, jetées sur le papier, des « couleurs de la vie ». La vérité de chacun ne recouvre ni la vérité historique ni la vérité matérielle, mais ce qui s'engendre de leur mise en relation. Personne, heureusement, n'a le pouvoir de savoir le vrai sur le vrai, les psychanalystes pas plus que les autres...

---

14. De la même manière que j'ai raconté des « histoires de paternité » dans *Histoire des pères et de la paternité*, à la suite des travaux d'un séminaire d'historiens au Collège de France dirigé par le Professeur Jean Delumeau (Paris, Larousse, 1988).

15. Comme l'exprime très bien l'historien Vincent Descombes : « Raconter les choses telles qu'elles naissent, dans un mélange de misère et de grandeur : comme un témoin proche, trop proche de ce qui vient de se produire, et qui cherche les causes dans les événements eux-mêmes [...]. [L'historien du présent] n'aperçoit donc qu'une affaire embrouillée, une conjonction confuse où les traits héroïques des uns se mêlent aux erreurs ou aux lâchetés des autres. » (*Lettre de l'EHESS*, novembre 1996.)

CHRONIQUES MATERNELLES

Écrire sur sa mère pose forcément
le problème de l'écriture.
(Annie Ernaux)

TOUT A COMMENCÉ QUAND J'AI GARÉ
MA VOITURE DEVANT LA PHARMACIE

(histoire de Mme Long)

MADAME LONG est une femme de quarante-deux ans hospitalisée parce qu'on suspecte une grossesse extra-utérine. Sans domicile[1], elle vit dans un squat situé dans une rue proche de l'hôpital. Elle a trois grands enfants placés en famille d'accueil depuis des années. Au vu de ce contexte, l'équipe en serait presque à souhaiter qu'il s'agisse effectivement d'une « grossesse extra », comme on dit ! Sinon, que Mme Long envisage une interruption volontaire de grossesse (enceinte de moins de dix semaines, elle est encore dans les délais légaux).

Je suis donc dépêchée sur les lieux pour faire le point. Mme Long est une femme sympathique, d'allure sportive, blonde, cheveux courts. Elle m'annonce d'emblée qu'elle souhaite que le bébé « tienne » et qu'en tout état de cause une interruption volontaire de grossesse est hors de question : par principe, Mme Long est « contre ». Elle me parle de ses enfants précédents dont elle est triste d'être séparée : les deux aînés, nés de deux compagnons différents, sont placés chez ses parents (à elle), qui tiennent une charcuterie en banlieue parisienne. Elle essaie d'aller les voir de temps en temps ; malheureusement, ses parents l'accueillent avec un billot de bois ! Si bien qu'elle a petit à petit renoncé. Le troisième, un garçon de douze

---

1. Et non « sans domicile fixe » : les nomades (les tziganes, par exemple) sont en effet sans domicile fixe, par définition. Ils constituent néanmoins une société très structurée. L'expression SDF est donc le reflet d'un ethnocentrisme naïf !

ans, qui a la mucoviscidose, né de son mari, guadelou-péen, est placé dans une famille d'accueil à la DDASS et elle a rarement de ses nouvelles. Le père est, comme les deux premiers, parti vivre avec une femme plus jeune.

Mme Long est plus réservée sur son passé récent, depuis une dizaine d'années, dont elle dit que c'est « la galère ». Elle me parle, en revanche, à ma demande, avec moult détails, de son installation actuelle dont elle n'est pas peu fière ; elle vit dans un garage (un box fermé avec cadenas) dans une rue voisine. Comme elle est la pre-mière occupante, elle a une priorité et invite donc qui elle veut chez elle. Elle fait régner la loi (organisation de la corvée d'eau, de l'usage du réchaud à butane, etc.) dans ce monde exclusivement peuplé d'hommes. Devant, entre la rue et le box, il y a une « rangée d'Arabes et d'Afri-cains » qui couchent à la belle étoile.

Dans ce box, elle a recueilli un « Bosniaque, grand aux yeux bleus », réfugié, hélas alcoolique et violent... C'est de lui qu'elle est enceinte et elle pense que, pour lui qui n'a rien, ça ne peut lui faire que du bien. Cet enfant est néanmoins non voulu, c'est un accident, car, vu son état de santé (ce Bosniaque avait, dit-elle, un « sperme fai-ble »), elle ne pensait pas que ça tiendrait. « Mais, bon, c'est fait, c'est fait. »

À ma question volontairement naïve de savoir com-ment elle élèverait un enfant dans ces conditions, elle me répond (un peu ironiquement) qu'elle s'attendait à cette question qu'on lui pose fréquemment depuis le temps qu'elle fréquente les travailleurs sociaux... Mme Long me répond qu'elle ne voit pas où est le problème ; qu'elle a de toute façon l'habitude des enfants ; et aussi de se débrouiller dans la vie. Elle considère que, pour elle qui est nantie, du « bon côté du manche », c'est normal de « faire de l'humanitaire » vis-à-vis des clochards, des gens qui n'ont rien. À ma question, un rien provocante, sur ce qu'est un clochard, Mme Long répond à mon interrogation sous-jacente qui est de savoir en quoi elle se définit, elle, comme riche (question absurde, pense-t-elle sans doute !). La définition qu'elle me donne est, en tout cas, la suivante : elle est française, a des papiers en règle, le RMI, une bonne santé (elle ne boit pas, ne se drogue pas, a de bonnes dents), elle a des parents (au sens de racines[2]) qui n'habitent pas loin ; elle a fait des études, a eu son bac, et même un métier (elle était autrefois secrétaire chez un juge d'instance d'un tribunal de banlieue parisienne). Par rapport à son Bosniaque ou à tous les clochards avec lesquels elle cohabite, il y a en effet un monde ! C'est ça la richesse. Évidemment...

Je revois Mme Long le surlendemain : elle piaffe, veut sortir, s'est fait apporter par le Bosniaque ses papiers enfermés (à clé) dans une mallette. Le diagnostic obstétrical s'oriente vers une grossesse intra-utérine, Mme Long sortira donc probablement le soir même. Le chef de clinique vient la voir avec moi dans sa chambre et lui demande instamment de bien faire suivre sa grossesse sur le plan médical. Elle nous rassure gentiment...

Avant qu'elle ne parte, l'équipe (et moi-même) étant assez désireuses de savoir comment elle en est arrivée là, je le lui demande simplement. Elle me répond, avec la même simplicité, par une extraordinaire phrase de condensation : « Tout a commencé le 20 janvier 1985 quand j'ai garé ma voiture devant la pharmacie. » Voici son récit : « À ce moment-là, j'avais une voiture, un appartement, et je venais d'accoucher. Un soir, je n'avais plus de lait pour mon bébé et je suis allée en acheter à la pharmacie ; j'ai garé ma voiture juste devant (le bébé était dans son couffin sur la banquette arrière) ; c'était fermé, alors je suis allée demander à la boutique voisine où était la pharmacie la plus proche ; quand je suis revenue, la voiture avait disparu. » Avec le bébé à l'intérieur.

---

2. Racines en forme de bâton, mais racines tout de même...

Angoisse, déposition au commissariat. Après plusieurs heures de recherche, on retrouve la voiture sur un parking à quelques kilomètres ; des gens avaient entendu le bébé crier et l'avaient signalé à la police. Mais il y a enquête. « Les flics sont allés chez moi, me dit Mme Long, et ils ont trouvé que ce n'était pas bien tenu — le papier était décollé parce que j'étais en train de faire de la peinture, c'est pour ça ; et puis, ils ont découvert que l'aîné était placé, que le père était parti, etc., et c'est là que tout a commencé ; ils m'ont pris mon bébé et l'ont placé. »

À partir de là, en effet, je comprends que Mme Long, après avoir perdu son fils, a perdu son appartement et a commencé à vivre dehors. Et cela fait douze ans que ça dure.

TOUTE LA VÉRITÉ SUR L'AFFAIRE DE LA FAUSSE TANTE/FAUSSE NIÈCE ET DE LEURS BÉBÉS

(histoire de Sylvie)

VOICI L'HISTOIRE du bébé des Togolaises et de la soi-disant « tante et nièce ». Ce titre parodique renvoie à une plaisanterie d'équipe : quand nous parlions de ce cas qui était revenu régulièrement sur le tapis dans nos réunions, il y avait chaque fois un fait nouveau qui relançait les hypothèses, comme dans un film noir.

L'histoire est la suivante : Sylvie, jeune fille togolaise âgée de seize ans, avait été hospitalisée dans le service en mai pour menace de fausse couche. Je l'avais vue à plusieurs reprises à ce moment-là. Elle était restée à l'hôpital une quinzaine de jours, puis en était partie, la grossesse ayant pu se poursuivre à peu près normalement (en réalité, Sylvie avait tout fait pour garder cette grossesse ; elle avait notamment dû rester alitée une partie du temps et avait été, pour cette raison, suivie par une sage-femme à domicile).

Je l'ai revue en août au moment de son accouchement. Son récit m'avait tout à la fois touchée et indignée : Sylvie m'avait dit être enceinte d'un jeune homme monté par la fenêtre, un jour de Noël où elle était seule, enfermée à clé dans l'appartement où elle était séquestrée par une dame togolaise qui l'employait depuis plus d'un an comme « bonne à tout faire/garde d'enfants ». Cette dame avait rencontré les parents de Sylvie (très pauvres) dans un petit village du Togo d'où elle était originaire ; elle leur avait proposé d'emmener leur fille à Paris pour s'occuper de ses deux jeunes enfants ; moyennant quoi elle s'était engagée à ce que Sylvie poursuive sa scolarité. Chose fut faite ; Sylvie avait alors quatorze ans.

Le hic est que la dame avait séquestré Sylvie qui me dit n'être pratiquement jamais sortie de l'appartement (situé en banlieue) et n'être évidemment jamais allée à l'école. Elle s'occupait des deux petits enfants et ne voyait personne. Quand ses patrons sortaient (ce qui avait été le cas le fameux jour de Noël où était monté par la fenêtre ce garçon qu'elle connaissait « de vue »), ils la laissaient seule à la maison, enfermée à clé. Elle n'avait pas de nouvelles de ses parents restés au Togo.

Quand « la dame » s'était rendu compte que Sylvie était enceinte, elle l'avait mise à la porte avec sa valise. Heureusement, Sylvie avait gardé un petit bout de papier sur lequel ses parents avaient écrit le nom et le numéro de téléphone d'une tante éloignée qui habitait Paris, « au cas où »...

Ladite tante (qui venait voir Sylvie tous les jours à l'hôpital et dont nous avons fait la connaissance à ce moment-là) l'avait en effet recueillie avec beaucoup de générosité en dépit de ses propres charges familiales (deux ou trois enfants, dont un bébé, plus des neveux ou nièces qu'elle hébergeait de temps à autre). Bref, c'était un tableau idéal de solidarité familiale « à l'africaine ».

La tante (Mme Kokona) nous a d'ailleurs tous impressionnés par sa « classe » : elle vit en France depuis vingt ans, a fait des études de droit et de sciences éco (elle travaillait chez un avocat) ; et dit maintenant diriger un salon de coiffure, pour pouvoir se consacrer à ses enfants. Elle nous a expliqué avoir été indignée par ce qui était arrivé à Sylvie ; elle a essayé de porter plainte contre les « Togolais séquestreurs », mais a abandonné, car c'était assez compliqué. Et elle avait autre chose à faire. Elle nous dit avoir prévenu les parents de Sylvie. Elle s'est d'autre part mise en relation avec le juge des enfants et a demandé une délégation d'autorité parentale (tout cela s'est avéré exact).

Cependant, au cours des mois qui ont suivi (et jusqu'à l'accouchement de Sylvie), les assistantes sociales et la sage-femme qui suivait à domicile la grossesse de cette dernière ont noté, de sources diverses, des informations ne coïncidant guère avec la version donnée par Sylvie (à laquelle j'avais été la première à croire) et par sa tante.

La jeune fille s'avérerait être en fait enceinte du frère de la tante... Les assistantes sociales avaient du reste tout de suite pensé que le salon de coiffure de la tante était louche. Quant à moi, j'en avais tenu *mordicus* pour la vérité énoncée par Sylvie. Je persiste d'ailleurs à croire qu'il y a une vérité dans son histoire, sa vérité à elle, comme si elle nous avait dit : « Cette grossesse était fortuite, surprise, d'un homme dont je dois taire le nom, dont je ne dois rien savoir ; je suis enceinte de "personne". » La vérité entendue dans la clinique psychanalytique est, on l'a vu, bien différente de la vérité des faits.

Mme Kokona, la tante, semble être, au demeurant, une experte de grande classe dans l'art de la filouterie à l'égard des travailleurs sociaux et intervenants de tout poil (elle a également berné le juge des enfants...). Il semble au bout du compte (mais rien n'est prouvé à l'heure actuelle — en novembre — en dépit de nombreuses personnes « sur le pont ») qu'elle « recueillerait » des enfants de « sa famille » pour toucher des allocations ; elle les maltraiterait, et les prostituerait (à l'occasion ? ou systématiquement ?).

Quels sont les « projets » de la tante au sujet de Sylvie ? Et concernant le bébé ? J'aurais tendance à penser que ce bébé sera éventuellement un otage pour que Sylvie accepte de rendre quelques services dans le « salon de coiffure » de la tante.

La petite fille aux deux pères

(histoire de Mme Lenoir,
mère du quart-monde [3])

J E VOIS aujourd'hui Mme Lenoir, quarante-quatre ans, enceinte de sept mois. Cette patiente a déjà deux fils, vingt ans et huit ans, de deux pères différents. Je la suis depuis deux mois environ, moment où elle a découvert fortuitement, avec stupéfaction, qu'elle était enceinte. Depuis, elle est à la fois angoissée et très déprimée. Je l'ai prise en charge conjointement avec le médecin accoucheur qui, comme moi, a été touchée par cette femme,

---

3. Un mot sur l'historique de cette expression qui date des années cinquante. Dans l'hiver 1954, on parlait de « mal logés » et de « sans abri » (pauvre abbé Pierre, pionnier à l'époque, qui a si mal fini...). En 1957, Germaine Tillon avait décrit les processus de la clochardisation. Le terme de « quart-monde » est devenu courant dans les années soixante-dix. L'expression « nouveaux pauvres » est, elle, apparue en 1971. Celle de « sans domicile fixe » (SDF) a fait surface dans une loi de 1969 et désignait alors les nomades. Sur la notion de « quart-monde », voir *Paroles d'exclus*, Paris, Presses de Sciences Po, 1996.

par son histoire ; aussi par sa gentillesse et son naturel. Comme moi, elle est inquiète sur l'avenir de cette mère et de son bébé.

Mme Lenoir est actuellement enceinte d'un voisin, célibataire, âgé de quarante ans. Elle a cependant recueilli chez elle, « par charité », le père de son deuxième fils (Sébastien, huit ans), clochard et alcoolique, qui vivait depuis deux ans dans sa voiture (finalement mise en fourrière)... Mme Lenoir me dit : « Je ne pouvais pas le laisser dans la rue ; j'ai un côté saint-bernard ; si on peut aider les autres... » Depuis notre dernier entretien, cependant, elle semble moins recueillir les chiens et chats du quartier... Alors que, jusque-là, me dit-elle, elle en avait en permanence une bonne dizaine chez elle car tous les locataires de l'immeuble qui partaient en vacances lui laissaient le leur en dépôt et elle n'osait pas refuser.

Son histoire est une lente dérive ; il n'est pas facile d'en reconstituer les différents pans. Elle était autrefois employée dans une imprimerie où elle est restée vingt ans. Elle a eu, au cours de ces années, deux compagnons successifs, chacun, dans son genre, escroc et alcoolique. Après différentes mésaventures, elle a fini par se réfugier chez sa mère : le dernier fils de celle-ci (frère cadet de Mme Lenoir) vivait encore à la maison à cette époque. Il semble avoir été particulièrement odieux avec sa « grande sœur » qui arrivait avec un enfant. Le frère en question est mort d'une crise cardiaque l'année dernière. Quant à l'autre frère de Mme Lenoir, il a été assassiné par la mafia...

Le fils aîné de Mme Lenoir, vingt ans, est, lui, « en galère ». Comme l'est d'ailleurs son propre père, premier compagnon de Mme Lenoir... Cette dernière « aide » en plus un peu sa mère, petite retraitée qui n'a plus le sou après le quinze de chaque mois, car elle a été plumée du petit pécule qu'elle possédait (fruit de la vente d'un pavillon à la campagne) par ses deux fils (morts tous les deux maintenant) ; que leur mère pleure néanmoins...

Cette patiente a fait suivre sa grossesse très tard, n'ayant pas du tout pensé qu'elle pouvait être enceinte. Elle était déjà à ce moment-là très déprimée et a pris des antidépresseurs pendant toute la grossesse. L'annonce de cette grossesse, à quatre mois et demi, a été un vrai choc. Déni de grossesse, dirait-on.

Pour ne rien arranger, on lui a dit, dans la foulée, qu'elle devait, en raison de son âge, subir une amniocentèse, ce qui l'a confrontée encore plus à la réalité d'un bébé qu'elle n'imaginait pas. C'est alors que le médecin accoucheur me l'a adressée.

Au fur et à mesure de nos entretiens, Mme Lenoir a commencé à réaliser qu'elle était enceinte, mais n'a pris conscience que très progressivement du fait qu'elle attendait un enfant ; elle voyait seulement son ventre grossir et que « ça bougeait à l'intérieur ». Nos entretiens l'ont aidée, dit-elle, à réaliser que ce sera un être humain.

Entre-temps, sont arrivés les résultats de l'amniocentèse qui étaient bons et indiquaient qu'elle attendait une fille. Mme Lenoir me dit qu'elle prépare la « niche ». Cette patiente est touchante dans la recherche qu'elle apporte aux vêtements qu'elle porte (achète ?) pour les rendez-vous à l'hôpital. Elle ne sort guère, sinon, de son logement, assez délabré me dit-elle, où elle vit avec son fils et son ex-compagnon (père de son fils) ; qui n'est donc pas le père du futur bébé.

Quel destin aura cette petite Aline aux deux pères et à la généalogie si complexe ?

EMPRISONNÉE, VIOLÉE, SÉROPOSITIVE

(histoire de Nour)

N OUR a vingt-trois ans, est anglophone et fille d'un ancien notable du pouvoir précédent en Ouganda. J'avais rencontré pour la première fois cette jeune femme il y a quelques mois, au moment de l'interruption de grossesse qu'on avait pratiquée, à sa demande, quand elle avait découvert sa séropositivité.

Voici, résumée, son histoire. Sa mère est morte en 1985, pendant la guerre civile. Son père a dû s'exiler au Soudan (à la chute du régime Obote) la même année ; sans nouvelles de lui, le frère de Nour est allé en 1994 au Soudan pour essayer d'élucider les conditions de sa mort. Cela a marqué, pour Nour et son frère, le début de la persécution : ils ont été accusés d'être en contact avec des opposants au régime exilés au Soudan et de préparer un coup d'État en Ouganda. Jetés en prison, ils ont été torturés. Leur maison a été bombardée. Leur jeune sœur a trouvé la mort dans une embuscade en se rendant à Kampala.

Grâce à un ancien collègue du père, le frère et la sœur ont été, au bout de quelques mois, remis en liberté ; puis réincarcérés et de nouveau « maltraités » parce que Nour utilisait un fax (soi-disant pour envoyer des messages aux rebelles du Nord !). Usant de la corruption (ils avaient encore un peu d'argent), Nour et son frère ont réussi à s'évader, à traverser la frontière vers le Kenya et à prendre ensemble un avion pour le Canada.

Pour comble de malheur, lors d'une escale technique de l'avion aux États-Unis, Nour, enceinte, a eu un malaise

40

dans les toilettes et, le temps d'être soignée, l'avion était reparti... avec son frère ! Faute de visa de transit américain, Nour a été alors réexpédiée à Londres, puis à Paris, pendant que son frère arrivait au Canada sain et sauf !

A recommencé alors, en France, une autre histoire tout aussi lamentablement rocambolesque. Nour, en effet, ne comprenant pas ce qui lui arrivait (elle ne disait pas un mot de français), a tenté de quitter Paris pour aller à Londres (*via* bus et bateau) où elle avait des amis et où elle pouvait se faire comprendre ! Mais après x traversées du pas de Calais, car on ne la laissait débarquer dans aucun des deux pays (la France et l'Angleterre se la renvoyant mutuellement faute de visa), Nour a fini par être « accueillie » par la France à Calais et mise en prison pendant trois semaines à la maison d'arrêt centrale de Lille... On lui a en plus confisqué son passeport[4] qu'elle n'a jamais pu récupérer par la suite, malgré les nombreuses démarches qui ont été faites pendant des mois par son avocat auprès de la préfecture de police.

À sa sortie de prison, on lui a conseillé de solliciter l'asile politique en France et on l'a envoyée dans le foyer parisien où elle se trouve actuellement. Elle a déposé un recours auprès de la Commission des recours aux réfugiés. Entre-temps, elle a su qu'elle était séropositive et a découvert, relativement tard, une grossesse dont elle a demandé l'interruption en raison des risques pour ce bébé de se retrouver sans mère, et éventuellement séropositif.

Aujourd'hui comme les autres jours, Nour vient à pied à l'hôpital, en raison des risques de contrôles policiers dans les transports en commun. Le foyer où elle est hébergée est un centre d'accueil pour les demandeurs

---

4. Passeport ougandais, parfaitement en règle, avec un visa pour le Canada (mais évidemment pas pour la France, pas plus que pour les États-Unis, pays où elle n'avait pas prévu d'aller !).

d'asile politique. Elle est mieux vêtue et coiffée qu'à la dernière séance, mais est impressionnante de maigreur car elle mange très peu, dort peu aussi, hantée par des cauchemars sur son terrible passé. Elle est excessivement élégante et digne, avec son accent d'Oxford, d'une maturité à faire peur. Son seul lien dans la vie maintenant est « son » assistante sociale, son avocat[5], son frère de vingt ans réfugié au Canada, et moi-même... Elle n'a plus de passeport, pas un sou, se raccroche à quelques lettres dont l'une, émanant de l'Office français de protection des réfugiés et des apatrides (OFPRA), indique qu'on statuera sur son cas en septembre et que, en cas de réponse négative, elle sera renvoyée en Ouganda où elle sait qu'elle sera tuée comme l'ont été son père, sa mère et sa sœur. Ne lisant pas le français, elle pense que la réunion de septembre est un procès (*trial*, dit-elle, « jugement ») ; je lui dis que non, qu'elle n'est coupable de rien. Mais elle est hantée par la prison, par le passé. Et elle n'a plus confiance que dans un nombre très limité de personnes.

Je m'entretiens au téléphone avec l'assistante sociale du foyer, très préoccupée du sort tragique de cette jeune fille. Je dois moi-même m'absenter pendant une quinzaine de jours. Il sera difficile d'organiser un soutien psychologique en anglais. Je vois Nour deux fois par semaine en ce moment.

Son moral est un peu meilleur depuis quelques semaines ; elle lit beaucoup (je lui prête des livres anglais), s'est fait au foyer une amie du Nigeria, anglophone, ex-étudiante en droit. Son frère l'a appelée de Vancouver : ça va pour lui sur le plan travail et papiers. Mais il a des problèmes de santé : de violents saignements de nez qui tiennent, dit Nour, à l'état dans lequel il se trouvait à sa

---

5. Qu'elle ne connaît pas directement ; il a cependant continué de prendre Nour en charge tout au long de ces mois pour la « royale » somme de mille francs attribuée au titre de l'aide juridictionnelle.

sortie de prison après avoir été torturé à plusieurs reprises — il avait dix-neuf ans ; il avait dû passer six semaines à l'hôpital à cause de ces saignements. Nour me dit, d'un ton calme et détaché, que pour l'instant son frère ne peut rien faire pour elle. Plus tard peut-être...

QU'EST-CE QU'UN PÈRE ?

(histoire de Mme Vigo)

L' INTERNE, débordée ce soir, me demande d'aller écouter les plaintes d'une patiente âgée (soixante-quinze ans), opérée il y a quelques jours d'une hystérectomie (la « totale », comme on dit). Mme Vigo ennuie le personnel avec ses plaintes et ses douleurs ; elle ne mange pas, saisie de nausées dès qu'on lui apporte son repas. Et ce, malgré l'administration de morphine après l'opération et la visite du psychiatre de garde qui a prescrit des antidépresseurs.

Je vais donc la voir : c'est une femme intelligente, sympathique, très lucide sur son histoire. Elle est ancienne fonctionnaire. Elle me dit qu'elle n'aurait pas dû accepter l'opération (décidée en raison d'un kyste à un ovaire) qu'on lui avait présentée, à tort, comme quelque chose de banal, comme une appendicite : « Autant vous débarrasser de ces organes qui ne servent plus à rien », lui aurait-on dit ! « Mais, bien que je sache parfaitement que ces organes ne me serviront plus à rien, je ne suis pas encore "bonne à jeter" », me dit-elle !

Cette patiente a été sensible, on le voit, à l'aspect métonymique de la présentation de l'opération (la partie pour le tout), comme si on lui avait signifié : « Vos organes ne servent plus à rien = vous ne servez plus à rien. »

Quant aux douleurs dont elle se plaint sans cesse depuis plusieurs jours, Mme Vigo les associe à celles de son accouchement (d'un fils unique) il y a quarante-cinq ans. Douleurs ignorées, méprisées, dit-elle, par le personnel médical de l'époque parce qu'elle était mère célibataire (ce qui équivalait à « prostituée » dans les années cinquante, et dans son milieu) ; en plus, elle était seule à l'époque, sa famille l'avait complètement laissée tomber du fait de cette grossesse.

Les douleurs de Mme Vigo sont en vérité très signifiantes : cette dame a en effet sacrifié sa vie à son fils, devenu un brillant architecte (mauvais architecte de sa vie privée, cependant, on va le voir). Et sa mère n'a eu de cesse que de tenter de réparer le préjudice qu'elle lui avait causé en le privant de père.

Ce fils était ainsi devenu source de douleurs constantes pour sa mère. Mme Vigo avait épousé par la suite un brave homme, me dit-elle, sans inclination, juste pour donner un père à son fils. Son mari aurait bien voulu un enfant, mais elle, non. C'était juste un père pour son fils qui l'avait poussée à se marier ! Ils avaient néanmoins vécu quarante ans ensemble... Son mari est mort il y a cinq ans.

C'est seulement alors, par une indiscrétion le jour de l'enterrement, que son fils a appris que le mari de sa mère n'était pas son père, ou plutôt qu'il n'était que son père légal. Il a violemment reproché à sa mère de lui avoir menti. Il a commencé une enquête sur son vrai père, aidé de sa mère qui est parvenue à localiser des membres de la famille du père de naissance : c'est ainsi que le fils de Mme Vigo a trouvé son adresse. Mais quand il est arrivé chez ce père dans un petit village de Bourgogne, il a appris que celui-ci s'était pendu quelques mois auparavant ; cet homme s'était marié, mais n'avait jamais eu d'enfant...

À partir de là, le fils de Mme Vigo commença, me dit

sa mère, à avoir un comportement « odieux » avec elle, il se mit véritablement à la rançonner. Arguant de son désir d'avoir un enfant dans un avenir proche, il exigea de l'argent pour donner le maximum de chances dans la vie à son futur enfant : sa mère vendit alors un petit appartement.

Après la naissance d'une petite fille, son fils « emprunta » à sa mère de l'argent pour restaurer une ruine en Bourgogne pour laquelle sa compagne avait eu le coup de foudre... Chose fut faite, c'est le livret de Caisse d'épargne de Mme Vigo qui fondit à son tour. Peu après, son fils se sépara de la mère de l'enfant...

Il somma ensuite sa mère de vendre une maison pour lui permettre de s'installer à son compte, pour mettre sa plaque, car, dit-il, « il faut bien que j'inscrive mon nom quelque part ! » *(sic)*.

Il ne voit maintenant presque plus sa mère, lui donne cependant sa fille à garder régulièrement... Son ex-belle-fille (à qui elle a également prêté de l'argent) lui dit, pour sa part, qu'elle pouvait venir quand elle voulait dans la maison de Bourgogne, à condition qu'elle-même n'y soit pas (c'est un hameau de trente habitants et Mme Vigo ne conduit pas...).

Ainsi le destin de cette patiente a-t-il été un destin de souffrance. Tout a commencé avec les douleurs de son accouchement solitaire ; puis, dit-elle, elle a souffert du gâchis qu'a été sa vie (mariage pas très gai !) ; souffrance aussi de ne pas avoir pu donner de vrai père à son fils ; souffrances que lui a fait, comme en miroir, endurer ce dernier, qui, lui-même, a souffert de ne pas avoir connu son père ; souffrances enfin — physiques et psychiques — à la suite de l'hystérectomie (organe on ne peut plus symbolique, puisque tout est parti de là !). La boucle est ainsi bouclée[6].

---

6. Ainsi va la métaphore.

J'ai revu Mme Vigo deux jours après ce long entretien : elle était beaucoup mieux, mangeait normalement et allait partir dans une maison de repos le lendemain. Elle me dit avoir repensé à notre entretien : « Vous voyez, me dit-elle, comme les idées sur la paternité ont changé en quarante ans ; quand j'ai eu mon fils comme "fille mère", on me disait que l'important était que je lui donne un père, et qu'un père, c'était celui qui élevait un enfant, lui donnait son nom, etc. C'est pour cette raison que je me suis mariée. Maintenant, c'est complètement l'inverse, on dit que le père, c'est celui qui conçoit le bébé, le géniteur... Mon fils me reproche ainsi mon mensonge et me dit : "Ce n'était pas une affaire, il suffisait de le dire !" Et moi qui ai cru bien faire... Ah ! les modes... »

Je réponds à Mme Vigo : « Comme vous avez raison[7] ! »

PREMIÈRE ET DERNIÈRE CHANCE D'ENFANT

(histoire de Mme Vernier)

MADAME VERNIER, quarante-quatre ans, vient d'avoir une interruption médicale de grossesse (à dix-sept semaines) après la découverte, lors de l'amniocentèse, que son bébé, Christopher, était mongolien. La surveillante m'en parle en soulignant à quel point cette histoire est tragique et émouvante : c'était en effet à la fois la dernière — et la première — chance d'avoir un enfant pour cette femme qui se croyait stérile, ayant, pendant vingt ans, vainement essayé d'être enceinte.

Mme Vernier est, on peut le comprendre, amère, révol-

---

7. Pourquoi écrire des livres là-dessus ? Il suffit d'écouter et de prendre des notes. Ceci est un pavé dans la mare personnelle de l'auteur de ces lignes qui a écrit trois cent cinquante pages sur la paternité...

tée, triste. Indignée aussi que son début de grossesse ait
été confondu, par le gynécologue qui la suit depuis toujours, avec un début de ménopause ! Du coup, sa grossesse n'a été diagnostiquée qu'à trois mois. À ce moment-
là, elle a eu un grave accident d'auto dont elle s'est sortie
(ainsi que son bébé) miraculeusement ; elle en a alors
conclu que ce bébé voulait vivre...

Elle avait commencé à faire des projets pour lui : mode
de garde après la naissance, choix de l'école maternelle,
et même choix d'un tuteur au cas où le père ne reconnaî-
trait pas cet enfant et où elle-même disparaîtrait. Puis il
y eut l'amniocentèse à quatre mois et le choc du diagnostic que lui annonça, par téléphone, son gynécologue...

Après l'interruption de grossesse, Mme Vernier n'a pas
voulu voir le bébé, a refusé l'autopsie et ne veut pas savoir
ce qu'il adviendra du corps (je le lui explique néanmoins).

Elle a connu le père de Christopher il y a plusieurs
mois, après qu'elle eut quitté à cause de sa « stérilité »
l'homme avec lequel elle vivait depuis dix ans. Aujour-
d'hui, ce dernier est marié et a un enfant...

Le compagnon actuel de Mme Vernier a plusieurs
grands enfants et est en instance de divorce. Il a, me dit-
elle, bien assumé sa paternité possible à venir, et l'a laissée libre de sa décision en apprenant le diagnostic de trisomie. Mme Vernier n'a cependant pas voulu lui imposer
un enfant handicapé, conçu alors qu'elle lui avait dit
qu'elle était stérile ! Bizarrement, dit-elle avec tristesse,
il n'est pas venu la voir au moment de l'interruption de
grossesse, ni le jour suivant. Il lui a seulement téléphoné
pour lui dire qu'il avait perdu, autrefois, un bébé à l'âge
de trois mois... Elle craint qu'il ne se manifeste plus
jamais. Et me demande pourquoi le destin s'acharne sur
elle de cette façon... Oui, pourquoi ?

Je revois Mme Vernier deux jours plus tard. Elle est
calme, maquillée, prête à sortir de l'hôpital. La veille, son
ami (le père de Christopher) lui a téléphoné pour lui

signifier « qu'il valait mieux qu'ils en restent là... ».
Mme Vernier est indignée, triste, ironique aussi sur son
manque de jugement.

Je raconte par la suite son histoire aux infirmières et
aides-soignantes. D'une même voix, elles disent : « Ah !
les hommes. » (Rires.)

ELLE NE POUVAIT PAS VIVRE, C'EST LE DESTIN

(histoire du couple Mektar)

L E DESTIN est vécu différemment par un couple pakista-
nais de religion musulmane que je vais voir dans la
chambre voisine après Mme Vernier. La mère, Mme Mektar, a subi elle aussi, la veille, une interruption médicale
de grossesse pour une petite fille sur laquelle avait été
diagnostiquée une cardiopathie sévère incompatible avec
la vie. Au cours de l'opération, Mme Mektar a failli mourir, son utérus, précédemment césarisé, s'étant rompu.
Subjugué par le charisme et la sérénité qui émanent de
ce couple, le chef de clinique m'a demandé de leur rendre
visite.

Les Mektar ont déjà un fils de deux ans. La mère ne
parle qu'ourdou (et un peu anglais) ; nous communi-
quons par l'intermédiaire de son mari qui parle bien
français.

Le couple a accepté l'autopsie ; ils ont vu le bébé et
ont décidé une inhumation dans la partie musulmane du
cimetière de Thiais[8].

Mme Vernier s'était révoltée, les Mektar sont sereins.
Peut-être ont-ils une conception du destin, et plus préci-

8. Voir plus bas, p. 121.

sément de la justice, différente. Le père m'explique qu'il n'y a pas lieu, dans leur cas, de se révolter contre quiconque : ni eux ni les médecins ne sont responsables, personne n'aurait pu sauver leur bébé, personne n'est responsable de sa maladie, c'est Dieu qui a décidé.

La « défausse » sur Dieu n'est pas ici, me semble-t-il, une façon commode de fuir le problème ; elle a sans doute permis à ce couple d'éviter le sentiment de persécution qu'a pu ressentir Mme Vernier qui, elle, s'en est pris au gynécologue, personnage condensant une sorte d'instance maléfique qui se serait acharnée sur elle. Si leur bébé était mort au cours d'un accident d'auto ou d'un attentat, m'explique aussi M. Mektar, les choses auraient été différentes parce que sa femme et lui auraient eu des sentiments de haine ou de vengeance à l'égard de quelqu'un, responsable de ce qui serait arrivé. Mais ce n'est pas le cas.

Pour tenter d'éclairer le problème, complexe entre tous, du destin, on peut relire les auteurs antiques (Sénèque en particulier), ou plus récents (saint Augustin), ainsi que les innombrables gloses à propos de la prescience de l'avenir, de la divination et du destin. On se rend compte que la question du destin rejoint celle de la causalité — psychique ou non —, bien posée, de manière plus récente, par la lecture freudienne du mythe d'Œdipe. Or, contrairement à une trop rapide lecture psychanalytique de la tragédie de Sophocle et du mythe d'Œdipe, on voit que, dans cette histoire, le héros ne pouvait rien faire d'autre que de jouer le rôle qui lui était d'avance prescrit, imparti[9]. Ce n'est pas son propre déterminisme psychique qui a « distribué les cartes de son destin », mais bien celui de ses parents. Il est clair

---

9. Pour une analyse de ces autres lectures du mythe d'Œdipe, on peut se reporter à G. Delaisi de Parseval, « Libres propos sur l'adoption ratée d'Œdipe », *Dialogue*, 1996.

— tellement clair que cela crève les yeux ! — que l'oracle de Delphes a inscrit d'avance le destin de ce malheureux enfant : tout était joué pour Œdipe dès sa conception. Tant lui-même que ses parents ont « agi » une tragédie écrite d'avance par le *fatum* ; ce sont les paroles de l'oracle qui ont dit son destin (sens du terme τυχὲ chez Sophocle).

La question du destin est en effet celle que se posent tous les êtres humains quand « le ciel leur tombe sur la tête », quand ils « essuient des coups du sort » qu'ils ne parviennent pas à expliquer. Tels certains malades atteints brutalement d'un cancer à évolution rapide. Tels des parents dont l'enfant est anormal ou handicapé sans qu'aucune explication génétique ou médicale puisse offrir d'explication. Sans qu'une conception de la justice (et donc de l'injustice) puisse faire sens. Telles les histoires de Mme Vernier et du couple Mektar.

Je voudrais ouvrir ici une seconde parenthèse sur la justice. Il existe deux grandes conceptions de la justice (tous les patients auxquels nous expliquons cette idée la reçoivent « cinq sur cinq [10] ») : c'est la distinction opérée par Aristote, dans le livre V de l'*Éthique à Nicomaque*, entre justice distributive et justice rétributive.

Dans tel type de cas, on peut considérer qu'il y a un effet de « paiement » dans le destin, même inique (c'est le sens du proverbe : « Quand les parents boivent, les enfants trinquent »). C'est la justice rétributive.

Dans d'autres cas, on a le sentiment que c'est le hasard, l'effet de loterie, qui génère le destin (malformation accidentelle du type trisomie, virus contracté pendant la grossesse, etc.). Il s'agit là de justice distributive (« c'est la faute à pas de chance », selon l'expression populaire).

Les patients concernés font très bien la différence entre

---

10. C'est un outil de travail très précieux dans de nombreux cas.

ces deux formes de justice (et donc d'injustice). Leur blessure, leur révolte, n'est pas la même dans les deux cas.

HEURTS ET MALHEURS
DE L'ÉJACULATION PROCRÉATIVE

(histoires du couple Varenne et du couple Lambert)

L E COUPLE Varenne m'est adressé par un médecin d'un autre hôpital : je n'ai donc pas de dossier plus amplement informatif. Mme Varenne, trente-deux ans, est infirmière. Elle n'a pas d'enfant. Son compagnon, un Antillais de quarante-cinq ans, est lui aussi infirmier. Il a trois grands enfants et est deux fois grand-père. Ils vivent ensemble depuis trois ans et ont un problème d'« enfant qui ne vient pas ». Ils ont fait une interruption volontaire de grossesse il y a quatre ans (c'était avant leur vie commune, au moment où ils se sont rencontrés). Depuis, il n'y a eu que des échecs de fécondation : Mme Varenne a, semble-t-il, un problème de trompes. En bonne logique médicale, le gynécologue a donc décidé de faire des IAC (inséminations avec le sperme du conjoint) et envisagé, en cas d'échec, de passer à la fécondation *in vitro*.

Mais le problème — pour lequel ils viennent me consulter — est le suivant : M. Varenne n'arrive pas à recueillir son sperme par masturbation à l'hôpital au moment des inséminations. Il a tout tenté : les revues suggestives, la présence de sa femme avec lui dans le cabinet du laboratoire ; il est allé parler d'homme à homme au chef de service qui lui a conseillé de prendre une chambre d'hôtel en face de l'hôpital : toujours rien ; il a essayé d'arriver à l'hôtel la veille pour être plus dispos (après avoir pris des tranquillisants) : rien non plus ; le médecin lui a même proposé de recueillir le sperme chez lui et de venir le plus vite possible à l'hôpital, transportant le précieux liquide dans un flacon à même le corps (afin de le garder à bonne température)... Rien à faire : M. Varenne n'y arrive pas. Or c'est la seule solution pour qu'ils aient un enfant, la méthode naturelle marchant très bien sur le plan sexuel, mais n'étant d'aucune efficacité au plan de la fécondation (puisqu'il faut recueillir préalablement le sperme afin de faire les inséminations) !

Le problème a pris un tour urgent (l'âge tourne pour Mme Varenne) et a déclenché un conflit aigu dans le couple : Mme Varenne accuse en effet son mari de ne pas suffisamment vouloir cet enfant. « Il en a déjà trois, me dit-elle, peut-être que ça ne le motive pas tellement d'en avoir un quatrième... » Son compagnon, lui, réfute énergiquement cette interprétation qu'il ressent comme humiliante et blessante. Je lui demande ce qu'il pense de son blocage ; il me répond que la masturbation est quelque chose de très difficile pour lui, qu'il n'a jamais eu ce genre de pratique sexuelle, que c'est une atteinte à sa virilité. Il me dit en effet qu'il a commencé sa vie sexuelle très jeune, aux Antilles, et qu'il n'a jamais eu de problème de ce côté-là. Le fait que cette masturbation lui soit, en outre, demandée dans un but de procréation (c'est particulièrement paradoxal ! avouons-le) la lui rend encore plus impossible. Il pense à l'enfant conçu dans ces conditions et ressent de la honte.

J'essaie de dédramatiser la situation en pratiquant ce que Lacan appelait autrefois la « réduction à l'on ». C'est-à-dire : « Vous n'êtes pas le seul à avoir ce genre de problème, ce n'est pas évident de se masturber dans un laboratoire d'hôpital, avec le bruit du couloir, la situation d'examen, la laborantine qui attend le résultat, et la femme qui attend, elle, les cuisses ouvertes, dans le cabinet du gynécologue. » Et je connote positivement les associations de M. Varenne, à propos de ce symptôme, entre virilité, paternité et impossibilité de masturbation : je dis — et je ne suis pas loin de le penser — que c'est peut-être un signe de bon fonctionnement mental et sexuel que de ne pas y arriver dans ces conditions ; c'est parce qu'il est un « homme normal », etc. Je souligne, enfin, à l'intention de Mme Varenne, que ce langage du corps n'est peut-être pas, chez son compagnon, lié à un refus d'enfant comme elle semble le croire (même si cette composante peut exister, je n'en connais pas assez pour pouvoir aller plus loin dans ce sens), mais qu'il est aussi une preuve d'amour (il n'éjacule qu'en elle)...

À la fin de l'entretien, le couple semble rasséréné. Je leur dis que ma porte leur reste ouverte.

Le hasard fait que le couple suivant, qui attend derrière la porte de mon bureau, connaît un problème qu'on pourrait dire, symétrique et inverse, par rapport à celui du couple Varenne.

Le couple Lambert m'est adressé par une collègue spécialiste d'immunologie de la reproduction. Ils sont arrivés chez elle « en bout de course » de traitement de stérilité, après de nombreuses consultations chez des spécialistes renommés et différents traitements suivis par Mme Lambert : inductions d'ovulation, médicaments pour améliorer la glaire ; la fécondation *in vitro* a même été évoquée... M. Lambert a été également examiné, ou plutôt son sperme qui, recueilli par masturbation au laboratoire, s'est avéré excellent.

Mais le fait est que ce couple tout ce qu'il y a de plus BCBG, marié depuis cinq ans (ils avaient à l'époque trente et trente-deux ans), n'arrive pas à avoir d'enfant, ce qui semble d'ailleurs attrister davantage Mme Lambert que son mari.

Au bout de plusieurs mois d'observation, un des gynécologues consultés leur a fait faire le classique test de

Hühner : après un rapport sexuel, on examine la façon dont les spermatozoïdes « nagent » dans la glaire. Là, surprise : il n'y avait rien, pas un seul spermatozoïde ! Le test a été refait à plusieurs reprises : négatif.

Posons-nous, tous ensemble, chers lecteurs, la « question à mille francs » : où sont donc passés ces sacrés spermatozoïdes qui, sous le microscope du laboratoire, s'agitaient en tous sens ? Le couple, questionné, dit qu'il n'en sait rien, que leur vie sexuelle est normale... Certains des Sherlock Holmes de la gynécologie qui ont soigné ce couple auraient-ils échoué dans le diagnostic, en traitant Mme Lambert ? Ou bien n'ont-ils pas voulu voir la réalité, à savoir que M. Lambert ne pouvait éjaculer qu'au laboratoire, mais pas *in situ* (dans sa femme) ? Ma collègue immunologiste, elle, s'en est douté, mais n'a pas osé aborder la question avec eux, la chose n'étant guère aisée, en effet. D'où sa décision de me les adresser, ce qu'ils ont accepté en toute simplicité (naïveté ?).

Dès le premier entretien, M. Lambert, faisant preuve d'une grande clairvoyance, me dit en présence de son épouse : « Je ne veux pas donner de spermatozoïdes à ma femme. » Éjaculer au laboratoire ne lui pose pas de problème ; mais au cours d'une relation sexuelle, apparemment, cela lui est impossible. Pourquoi ? C'est une longue histoire.

Le problème étant, évidemment, complexe et délicat à traiter, on décide, après avis d'un autre médecin gynécologue, de commencer, en parallèle, une approche psychothérapeutique avec M. Lambert (ou avec le couple) et une série d'inséminations avec le sperme de celui-ci qui devraient avoir de bonnes chances de marcher assez rapidement, M. et Mme Lambert étant tout à fait fertiles. Je leur dis très clairement qu'ils courent le « risque » d'avoir un ou plusieurs enfants et que le symptôme d'anéjaculation soit ainsi « préservé », c'est-à-dire laissé en l'état...

Au cours des mois suivants, je revois plusieurs fois

M. et Mme Lambert en entretien de couple. Ils ne se montrent pas tellement pressés de faire évoluer la situation. Pendant plusieurs mois, ils ne donnent pas suite à la proposition du gynécologue, ayant sans doute bien entendu que l'insémination risquait de donner très vite de bons résultats ! Mme Lambert me dit qu'elle risque d'avoir un changement professionnel important dans les mois qui viennent et qu'une grossesse serait mal venue dans ces conditions... Quant à M. Lambert, il semble avoir eu un léger sentiment de panique à l'idée d'une psychothérapie individuelle : il me dit qu'il a peur d'être perturbé par ce qu'il risquerait de découvrir, que cela risquerait de provoquer un bouleversement trop difficile à gérer dans sa vie professionnelle et familiale. Le souhait de ce couple — leurs défenses, en termes métapsychologiques —, que je respecte, est, en quelque sorte, que leur symptôme soit préservé ; mais qu'en même temps il soit reconnu, nommé, parlé, et que nous puissions, tous les trois, penser « qu'un jour » il pourra être levé. *Why not ?*

Je parle de ce cas en équipe, et l'un des médecins évoque l'histoire que lui a racontée récemment une collègue « fiviste » : un couple de patients intellectuels (tous deux professeurs en faculté) à qui elle demandait la fréquence de leurs rapports sexuels lors de la consultation pré-fécondation *in vitro*, avaient répondu tranquillement qu'ils n'en avaient pas et que c'était précisément la raison pour laquelle ils voulaient faire des fécondations *in vitro* ! Étonnés de la surprise du médecin, ils avaient dit penser que la fécondation *in vitro* avait été inventée pour des gens comme eux, qui voulaient avoir des enfants sans la « corvée » de la sexualité...

FAIRE ET AIMER UN ENFANT, EST-CE COMPATIBLE ?

(histoire du couple Léon)

C ES DISCUSSIONS me rappellent un couple de patients vus l'hiver dernier, le couple Léon (eux aussi professeurs à la faculté, est-ce un hasard ?). Mme Léon, quarante et un ans, refusait l'idée même d'un enfant, car elle ne supportait pas la perspective de la grossesse et encore moins l'idée d'accoucher. Ce dégoût de la grossesse lui avait interdit d'entrer dans une Maternité ou même de côtoyer des femmes enceintes. C'était donc une « première » qu'elle soit venue consulter l'agrégé du service (qui me l'avait adressée), ayant entendu parler de sa réputation d'excellent accoucheur et de bon psychologue. Elle lui avait demandé s'il était possible de faire des inséminations avec le sperme de son mari (toujours pour se débarrasser de la corvée procréative !) et si l'on pouvait pratiquer une anesthésie générale au moment de l'accouchement. Bref, elle voulait qu'on l'aide à vivre le moins mal possible la grossesse...

Ce collègue m'avait alors écrit : « Très profondément, Mme Léon souhaite un enfant, mais elle craint ses réactions aussi bien en ante-partum qu'en post-partum. Cette patiente pense de façon très ferme que ses sentiments actuels sont directement liés à ses relations avec sa mère dont, dit-elle, elle n'a jamais été aimée. Son couple paraît équilibré et son mari lui laisse le choix d'avoir ou de ne pas avoir d'enfant. » Et, non sans humour, il avait conclu sa lettre par ces mots : « Si une grossesse devait être conduite, il paraît évident que nous aurions, tous les deux, du pain sur la planche ! »

La consultation avec moi avait confirmé cette dyna-
mique maternelle compliquée : sa mère, m'avait dit
Mme Léon, l'avait « pondue » facilement et ne l'avait pas
aimée ; elle avait eu, en revanche, une marraine — stérile — qui ne l'avait pas « faite », mais l'avait aimée
comme une mère. Sa névrose se nouait en quelque sorte
de la façon suivante : « Ou bien on fabrique un enfant et
on ne l'aime pas ; ou bien on ne le fabrique pas et on
l'aime » (ce sont ses propres termes). Il était donc impossible pour cette femme d'être une « mère complète ».

LE NO MAN'S LAND [11] DES EMBRYONS CONGELÉS

(histoire de la « demande parentale »
en souffrance de Mme Richou)

NOUS AVONS notre réunion hebdomadaire, le médecin
gynécologue, la technicienne et moi-même, pour
nous occuper du sort des trois cent quatre-vingt-trois
embryons congelés qui sont placés sous la responsabilité
du chef de service dans la bonbonne de la pièce voisine.

Pour comprendre la complexité du sort de ces petits
êtres [12], il est nécessaire de faire un bref détour par le
texte des lois bioéthiques de juillet 1994 qui concerne le
statut des embryons congelés, dits « surnuméraires ». La
loi a essayé de canaliser le plus possible les éventuelles
palinodies existentielles des « couples avec embryons
congelés » (embryons créés à la suite de tentatives de

---

11. Dans les deux sens du terme ; il y a en effet peu de place pour l'homme dans
ces histoires (pas plus pour le *vir* que pour le *pater*).
12. Ou « non-êtres ». Mais ce n'est pas dans une note que nous allons débattre du
sexe des anges ni de celui des embryons... On pourra lire quelques embryons de
réflexion dans la conclusion de cet ouvrage.

fécondation *in vitro* échouées, ou de fécondation *in vitro* réussies — c'est-à-dire avec naissance d'enfants), à l'aide de questions à choix multiples. Il est donc demandé au couple s'il veut :

- soit conserver « au froid » ses embryons, c'est-à-dire sa demande parentale (en renouvelant son choix tous les ans par lettre),

- soit renoncer à sa demande parentale au bout d'un certain temps (cinq ans).

Et à ce stade, en suivant les méandres des subtilités casuistiques du législateur, un nouveau choix est offert au couple entre :

- l'arrêt simple, c'est-à-dire la destruction de sa demande parentale,

- l'aide à la réalisation de la demande parentale d'un autre couple (c'est le don d'embryon),

- le don de ses embryons à la recherche scientifique (sous certaines conditions).

Mais il existe (tant pis pour le législateur, mais tant mieux pour le psychisme humain) des couples pas très cohérents, en apparence tout du moins... Ceux qui divorcent ou se séparent ; ceux qui ont un enfant né par fécondation *in vitro* (ou hors fécondation *in vitro*, naturellement, ça arrive...), par IAD ou par ICSI[13], et qui ne savent plus quoi faire de leurs embryons non utilisés. Les

---

13. ICSI : injection d'un spermatozoïde directement dans l'ovocyte en franchissant l'enveloppe pellucide de l'œuf *(intra cytoplasmic spermatozoïd injection)*. Méthode qui permet, dans les cas où le couple devait, antérieurement, faire appel à un donneur étranger (IAD), de tenter une procréation avec le sperme du mari (ou du compagnon). Permettant ainsi à l'homme d'avoir un enfant de lui avec sa compagne.

Que le lecteur de la grande presse se méfie (cela par parenthèse) de la version parfaitement tendancieuse qui y est donnée de l'ICSI, présentée de manière constante, martelée à longueur d'articles, comme « une pratique qui conduit à *organiser* la transmission héréditaire de la stérilité » (par exemple dans *Le Monde* du 16 janvier 1997). Alors qu'il s'agit d'une méthode médicale qui vise à « réparer » la stérilité masculine, à permettre à un homme d'avoir une paternité habituelle (biologique et sociale) ! Même si elle présente des risques (comme toutes les techniques d'assistances médicales à la procréation).

couples dans lesquels un conjoint meurt ; les couples qui, au cours du processus médical, font une demande d'adoption qui aboutit et qui renoncent alors à leurs embryons congelés. Les couples enfin qui, épuisés après plusieurs échecs de fécondation *in vitro*, renoncent tout court. Sans oublier ceux dont on ne sait plus rien, car ils ne répondent pas aux lettres...

Que faire de toutes ces demandes parentales en souffrance ? Que faire de ces embryons qui encombrent les congélateurs de tous les hôpitaux du monde nantis de « programmes de fécondation *in vitro* » ? Embryons dont on entend dire souvent, *à tort*, que ce sont des « embryons abandonnés ». Cette assertion pratique, en effet, un amalgame spécieux entre les embryons soi-disant abandonnés et les bébés abandonnés — à la DDASS ou ailleurs. Spécieux, car il n'y a nul abandon de la part des couples qui, en faisant des fécondations *in vitro*, voulaient un enfant (deux éventuellement), mais pas dix ; et qui n'ont, évidemment, nullement réfléchi à un problème entièrement fabriqué par la médecine et par la loi (le sort de ces embryons « en trop »)...

Une « demande parentale » est précisément en attente dans la pièce voisine. Nous parlons de cette patiente, Mme Richou, dont tout le monde dans l'équipe se souvient : cette femme avait divorcé après six années de mariage pendant lesquelles elle avait fait plusieurs fécondations *in vitro*. Les fécondations *in vitro* avaient échoué en termes de réimplantation, mais donné lieu à la création de douze embryons « surnuméraires » qui avaient été congelés.

Or Mme Richou, des années après son divorce, était revenue (il y a environ deux ans) redemander une fécondation *in vitro* avec un nouveau conjoint. Or l'équipe qui la prenait désormais en charge (notre équipe avait, entre-temps, cessé son activité de fécondation *in vitro*) avec son nouveau compagnon avait refusé la demande du couple. Sauf si Mme Richou et son premier mari acceptaient au préalable de détruire les douze embryons congelés et non utilisés qui dataient de la première fécondation *in vitro*... Cette équipe exigeait en outre l'accord écrit de l'ex-mari de la patiente avant de détruire les embryons. Tout cela au nom d'une interprétation discutable de la loi bioéthique.

Les membres de l'ancien couple étant dans les pires termes (nous nous souvenions de cette femme, battue par son ex-mari qui lui reprochait l'échec des fécondations *in vitro* !), Mme Richou craignait que ce dernier ne l'empêche de faire d'autres fécondations *in vitro* avec son nouveau compagnon, dont il ignorait d'ailleurs l'existence. Il lui suffisait, en effet, de s'opposer à la destruction des embryons...

L'affaire s'est heureusement bien terminée, l'ex-mari, consulté par lettre, ne s'étant pas manifesté, au grand soulagement de l'équipe ! Les embryons de l'ancien couple sont donc devenus officiellement hors d'usage, permettant ainsi à Mme Richou et à son nouveau mari d'entrer dans un nouveau programme de fécondation *in vitro*.

Une juriste, le Professeur Claire Neirinck, consultée par la suite, a confirmé le mal-fondé de l'interprétation de la loi faite par la seconde équipe. Pourquoi, en effet, alors qu'un divorce solde tous les comptes entre les anciens époux, conserver une trace aussi symbolique d'une union qui n'existe plus ? Elle nous a dit qu'aux États-Unis ce type de cas avait donné matière à procès : un homme divorcé avait demandé la « garde », c'est-à-dire l'utilisation des embryons congelés, arguant du fait qu'il pouvait se remarier et demander à sa nouvelle femme de porter les embryons de son premier mariage ; cette dernière aurait alors agi comme mère porteuse des enfants conçus avec le sperme de son mari... Et une femme divorcée peut aussi, dans ce cas, de façon symétrique, dans le système législatif américain, demander la garde et la réutilisation des embryons dans son nouveau couple. Tout se plaide outre-Atlantique...

En France, la loi protège, certes, de ce type de dérives. Mais elle est peu efficace pour gérer les vicissitudes de la vie des couples emportés par le maelström des procréations assistées. L'histoire de Mme Richou montre ainsi comment les aléas inévitables de la vie des sujets (quoi de plus banal de nos jours que le divorce ?), doublés des « aléas exégétiques » d'une loi floue, mal interprétée par des équipes bien intentionnées, peuvent créer des situations absurdes, voire catastrophiques. Par exemple, comme dans ce cas, l'impossibilité pour un (nouveau) couple d'avoir des enfants ; ou encore une flambée de violence entre deux ex-époux divorcés depuis des années.

Il ne s'est rien passé

(histoire d'Ariane)

« L A PETITE Ariane vous attend avant de quitter la Maternité », me dit une surveillante. C'est une jeune fille mineure, lycéenne, qui a accouché à terme, anonymement, la veille. Comme, de plus, elle a été admise, à sa demande, « au secret », elle ne peut pas recevoir de visites. Même à ses parents, seuls au courant de l'accouchement, on ne donnerait pas le numéro de sa chambre : Ariane est officiellement inconnue chez nous... Elle a, me dit-on, hâte de sortir et de partir en vacances.

Sa grossesse a été suivie ici depuis deux mois, moment où, allant passer l'épreuve du bac de gymnastique, le professeur lui a dit qu'elle ferait mieux de surveiller son état... Consternation des parents, sidération de la jeune fille. Le garçon (le mot « père » est imprononçable) est, pour ne rien arranger, de couleur foncée et les parents d'Ariane auraient plutôt tendance à voter Front national ! L'assistante sociale les a vus plusieurs fois, surtout le père (un professeur d'histoire), plus impliqué dans la gestion de « l'affaire » que sa femme.

Les parents et Ariane (dans cet ordre) ont tout de suite dit qu'ils étaient pour l'« adoption avec accouchement sous X » et que tout cela devait se passer dans le plus grand secret, particulièrement eu égard au jeune frère d'Ariane, quinze ans, que l'on avait expédié en stage linguistique en Allemagne !

Ariane était allée une ou deux fois voir les psychologues de l'Association Moïse [14] qui m'en avaient parlé plusieurs semaines auparavant et m'avaient prévenue du moment de l'accouchement. La psychologue qui l'avait suivie et qui avait vu les parents de la jeune fille avait été frappée par le refus massif qu'ils opposaient à une quelconque élaboration de cette histoire : il s'agissait uniquement pour eux de cacher la grossesse de leur fille, que celle-ci accouche et reparte immédiatement, sans rien connaître de la suite. Il fallait « tourner la page », « effacer la bêtise », faire comme s'il ne s'était rien passé. Un point c'est tout.

Ainsi fut fait. Ariane a accouché seule, sans une personne connue pour l'accompagner (je n'étais pas à l'hôpital ce jour-là). Elle a demandé à la sage-femme de ne pas lui montrer le bébé et de ne pas lui dire le sexe.

Ariane est une très jolie jeune fille blonde au visage triste et fermé. Je ne l'ai jamais rencontrée avant aujourd'hui. Aussi bien l'assistante sociale que la sage-femme (qui en voient pourtant beaucoup) ont été choquées par

---

14. Association se définissant comme une « maison d'orientation, de soutien et d'écoute des femmes enceintes en difficulté ».

son indifférence affichée et l'absence totale de considération dont elle a fait preuve à l'égard de ce nouvel être humain qu'elle a tout de même porté et « connu » pendant neuf mois. Elle a dit ne pas vouloir laisser de lettre et demandé qu'on n'indique aucun renseignement même non identifiant dans le dossier, ni sur elle ni sur le « garçon ».

En somme, Ariane voudrait ne pas avoir accouché... Mais elle vient bel et bien de mettre un bébé au monde, au sens propre du terme, et de manière parfaitement consciente, avec seulement une légère anesthésie péridurale. « Le bébé est métissé », a dit le pédiatre, signifiant par là qu'en l'occurrence il ne s'agit pas d'un inceste, ce qu'on a un peu (trop ?) tendance à suspecter dans ces cas-là.

Mon rôle n'est évidemment pas de déstabiliser cette jeune fille une heure avant son départ. Nous parlons donc de choses et d'autres. Le sujet arrive on ne peut plus naturellement sur la question du secret, en particulier vis-à-vis du jeune frère. Ariane me dit que, malgré la difficulté, elle pense que ce secret pourra être gardé. Et elle me raconte qu'ayant passé les quinze jours précédant son accouchement avec son père à la campagne (pour cacher la situation), ils ont, elle et lui, beaucoup parlé. Son père lui a confié que la mère d'Ariane a une sœur. Cette tante maternelle habite à quelques centaines de mètres de chez eux. Mais cela fait une vingtaine d'années qu'elle est brouillée avec la mère d'Ariane. Pour des questions d'héritage, pense-t-il, sans en être sûr. Les choses se corsent dans la mesure où la grand-mère maternelle d'Ariane habite, elle aussi, tout près, et qu'elle et la mère d'Ariane sont « dans le même camp », contre la sœur. Ainsi les femmes de cette famille se croisent-elles depuis toutes ces années dans la rue et chez les commerçants en faisant semblant de ne pas se voir...

63

Dans cette famille, on sait donc bien être aveugle quand on ne veut pas voir !

Ariane me dit être assez troublée par cette histoire dont elle se trouve, sans l'avoir voulu, faire partie. Elle pense que sa tante la connaît donc sûrement « de vue » et fait semblant de ne pas la voir dans la rue ; quant à elle, elle ne la connaît pas, mais elle l'a pourtant certainement vue !

Pour ma part, je « vois » que cette jeune fille me dit là quelque chose sur elle et sur son histoire immédiate. C'est assez rassurant en un sens, car cela montre qu'inconsciemment elle a commencé à élaborer quelque chose autour de ce secret de famille que ses parents lui ont imposé. Mais en échange, elle leur a, elle, imposé, dirait-on (ce n'est qu'une association d'idées de psychanalyste), une grossesse avec un jeune homme visiblement noir !

Après cette conversation qui semble avoir fait du bien à Ariane, je lui dis que je pense nécessaire qu'il y ait un témoin « oculaire » de l'existence de ce bébé qui se trouve à l'étage du dessous. Je lui propose donc d'aller le voir et, si elle est d'accord, de l'indiquer dans le dossier. Ariane acquiesce, apparemment soulagée, et me demande de revenir la voir dans sa chambre après cette visite.

Le bébé est un beau garçon de quatre kilos, blanc d'apparence (mais l'apparence, on le sait, peut être trompeuse). À mon retour, Ariane m'attend dans sa chambre. Je lui décris l'enfant et lui dis qu'elle peut être fière de lui avoir donné la vie. Très émue, elle me remercie.

Quelques minutes plus tard, je l'aperçois par la fenêtre, dans la cour de l'hôpital, qui part avec son père venu la chercher.

MOLESTÉE, INCESTÉE, CÉSARISÉE À L'ÂGE DE DIX ANS ;
MÈRE MALGRÉ TOUT

(histoire de Safia)

C'EST LE JOUR de la séance, bimensuelle depuis quelques mois, avec Safia. Cette jeune femme, âgée de vingt-deux ans, est sous le choc de l'annonce de la césarienne prévue pour la naissance de son bébé, dans une quinzaine de jours. Elle ne va pas bien aujourd'hui. Depuis qu'on lui a dit, en effet, il y a un mois, que le bébé naîtrait de cette façon, elle est passée par un moment dépressif important. Elle ne peut s'empêcher d'avoir un sentiment de rejet vis-à-vis du futur enfant, comme si c'était, dit-elle, le précédent qui revenait.

Pour comprendre la réaction de Safia, il faut connaître son histoire. Safia est née en 1972 dans l'île de la Grande-Comore, alors française. En 1975, l'île obtient son indépendance. Les parents de Safia, des paysans pauvres et illettrés, ne sachant pas qu'ils peuvent alors demander la nationalité française, deviennent donc comoriens.

À la fin de l'année 1978, Safia a six ans. Entre-temps, ses parents ont divorcé. Sa mère la confie à son demi-frère, l'oncle de Safia par conséquent. M. Matouf a trente et un ans. Il est marié et a deux jeunes enfants. Sa femme et lui sont aides-soignants dans un grand hôpital parisien. Régulièrement, il commence à envoyer de l'argent à sa demi-sœur qui lui en est très reconnaissante. Comme on le verra, il s'achète ainsi une esclave sexuelle.

Safia va à l'école primaire. On lui délivre une carte d'identité française qui la déclare « fille » de son oncle et de sa tante. Un « vrai-faux papier » ! À l'époque, paraît-il, dans le contexte des DOM-TOM, cela se faisait très régulièrement[15] ! À partir de 1980, l'oncle-père (dont elle porte le nom qu'elle est obligée — à son grand dam — de transmettre au bébé qui va naître) commence à abuser sexuellement d'elle. Safia a neuf ans.

Sans même avoir eu le temps de « voir ses règles », elle « tombe » enceinte. Elle est alors en CE1 et parle encore assez mal le français. La tante, qui n'a pas les mêmes horaires que ceux de son mari, dira n'avoir rien remarqué de particulier. C'est le médecin scolaire qui alerte la Maternité de l'hôpital où, pour le malheur de Safia, travaillent l'oncle et la tante ! Elle y est prise en charge, enceinte de quatre mois, raconte son histoire à l'assistante sociale et désigne son oncle comme le père du bébé. Elle fait alors l'objet de pressions du couple oncle/tante pour qu'elle se rétracte. M. Matouf menace de la renvoyer aux Comores dans cet état et de supprimer l'allocation à sa mère. D'ailleurs, il nie tout, expliquant que c'est un copain de classe qui a mis Safia enceinte. Les travailleurs sociaux (et les psychologues ?) semblent impressionnés par l'assurance de l'oncle (et par la blouse blanche qu'il porte ?).

Bref, Safia a une césarienne à quatre mois et demi de grossesse avec un féticide... Elle a alors juste dix ans ! Cet accouchement est appelé « interruption thérapeutique de la grossesse » (c'est le terme qui figure, selon l'article 162-12 du Code de la santé, dans le dossier médical...). L'affaire en reste là. Puis la famille tout entière déménage en banlieue.

La famille s'agrandit par la suite : le couple a un autre garçon. Maintenant, la tante « sait ». Son mari continue cependant de violer Safia et la frappe à coups de pied ; il

---

15. Sous le règne de Charles Pasqua, les choses eussent été très différentes, et le destin de Safia tout autre.

frappe aussi sa femme. La situation scolaire de la jeune fille se dégrade. Son oncle et sa tante lui interdisent de voir des voisins, des amis ; ses cousins, trop jeunes, ne comprennent pas ce qui se passe. La mère de Safia lui écrit de temps en temps, sur un ton moralisateur, pour lui dire de ne pas causer de soucis à son oncle, craignant de perdre la rente servie par son demi-frère. Safia en garde une haine pour sa mère dont elle me parle longuement, pendant sa grossesse, et qui fait froid dans le dos.

Safia se déprime sans doute pendant ces années-là (entre onze et treize ans), n'ayant plus confiance en aucun adulte. En 1987, sa tante se rapproche d'un couple Témoins de Jéhovah qui deviennent des amis et leur rendent souvent visite à la maison. Safia se confie à la femme du couple. L'oncle, mécontent de cette influence, menace de mettre sa femme et ses enfants à la porte, et de garder Safia. C'est alors le déclic pour la tante : elle porte plainte et, conseillée par son amie, dénonce son mari pour viol de sa « fille-nièce ». La brigade des mineurs intervient, l'oncle continue de nier. Il est néanmoins mis sous contrôle judiciaire et doit quitter le domicile conjugal. Un juge des enfants est nommé ; mais Safia ne se souvient pas avoir jamais vu aucun juge... Une mesure d'assistance éducative en milieu ouvert (AEMO) est prise concernant la jeune fille qui est désormais suivie par un éducateur de l'Aide sociale à l'enfance. Elle est placée chez un couple avec lequel elle ne s'entend pas. Elle redouble sa classe de troisième.

En 1989, M. Matouf, le « père-oncle », est condamné à deux ans de prison avec sursis *(sic)*. Il fait appel. Lors des procès, Safia n'a jamais eu l'assistance d'un avocat ; elle a été citée comme simple témoin ; son éducateur n'a pas assisté aux débats. En novembre de la même année, l'arrêt de la première chambre de la cour d'appel de Paris est rendu : M. Matouf est renvoyé des fins de la poursuite. La Cour, estimant que les faits jugés en première instance ne sont pas établis, décide l'acquittement. Safia n'a pas été convoquée ; du reste, elle n'était même pas au courant du procès...

En 1992, elle est placée chez une femme de soixante-cinq ans avec laquelle elle sympathise. Entre-temps, elle a appris le résultat de l'appel. L'éducateur lui conseille « d'oublier tout cela ». Safia commence à réagir : elle obtient copie de l'arrêt de la cour d'appel, mais on lui refuse celle du jugement en première instance. « Le parquet général ne l'autorise pas », lui écrit l'inspectrice de la DDASS en juin 1993 [16]. En juillet 1994, elle est placée par l'Aide sociale à l'enfance dans un foyer du 3e arrondissement où elle se trouve encore aujourd'hui (mais qu'elle va quitter, car il y est interdit d'avoir un bébé). Elle paie un loyer de deux mille cent francs par mois. Elle a une bourse de l'Aide sociale à l'enfance et travaille dur. Malheureusement, elle échoue au baccalauréat G. Faute d'argent, elle qui voulait faire des études de droit, ne peut redoubler. Elle trouve un emploi de vendeuse dans une boulangerie.

À la consultation suivante, les souvenirs de sa césarienne à l'âge de neuf ans et demi (!) lui reviennent très clairement, comme si c'était hier. Pourtant, quatorze ans ont passé... En même temps, elle se culpabilise et se demande si elle sera capable d'être une bonne mère ; elle a peur de la violence qu'elle ressent en elle.

Pauvre Safia, manipulée par la violence et la lâcheté des adultes ! Aujourd'hui encore elle paie pour le mal qu'on lui a fait. Je suis inquiète au sujet de cette « amie » marocaine, trente-cinq ans, célibataire, qu'elle s'est faite à la boulangerie au cours de cette année, qui vit à l'étranger, lui téléphone tous les jours et viendra au moment de l'accouchement. Elle lui a proposé de passer ensuite

---

16. Aujourd'hui, Safia l'a obtenu grâce à l'appui d'amis magistrats et avocats à qui, avec son autorisation exprès, j'en ai parlé.

quelques semaines dans son pays avec le bébé... Rapt, vol ou achat d'enfant ? Répétition, quand tu nous tiens...

UNE HISTOIRE DE CÉSARIENNE

(Mme Diolo)

P ASSIONNANTE consultation avec une famille Sarakouli, d'un petit village du Mali, conduite conjointement avec l'accoucheur, médecin qui connaît bien le Mali et s'intéresse aux représentations de la maternité en Afrique.

J'ai fait la connaissance de Mme Diolo quelques jours plus tôt. Elle venait de perdre *in utero* son quatrième bébé en trois ans (une grossesse en 1994, des jumelles en 1995, et cette mort *in utero* la semaine dernière). Trois fois, il y avait eu mort des bébés en raison d'un hématome rétro-placentaire, accident gravissime de la grossesse. Auparavant, Mme Diolo avait eu deux enfants qui se portent bien.

Cette mère pleure. Sa souffrance tourne principalement autour du fait qu'elle veut revenir au pays (son mari est au chômage et ils n'ont plus rien à faire à Paris où ils vivent dans des conditions difficiles depuis huit ans). Mais comment revenir dans son village après avoir « tué » quatre enfants ? Qu'elle en ait deux ne sert à rien, me dit-elle. En Afrique, pour pouvoir dire qu'on a des enfants, il vaut mieux en avoir vingt que deux ! La seule solution, explique-t-elle, est que son mari prenne une co-épouse qui lui donne d'autres enfants. Le mari, présent, ne dit ni oui ni non... Sont aussi présents, en alternance, trois hommes de la famille : le frère du mari, l'oncle de la femme et un marabout, le « sage ».

Le couple a demandé cette consultation solennelle avec le médecin pour savoir quoi décider ensuite. Le médecin leur explique ce qui s'est passé pour ces trois grossesses et dit que si la future grossesse de Mme Diolo est très bien suivie depuis le début, ici, dans cet hôpital où l'on connaît bien son histoire, il y a de bonnes chances que la maman arrive à mener à terme — ou presque — la prochaine grossesse. Mais il ne faut en aucun cas qu'elle prenne le risque de repartir au Mali et d'être enceinte au village (qu'il connaît).

Longues palabres entres les membres de la famille, à la suite desquelles le sage fait tomber son verdict : s'adressant au médecin, il lui dit qu'ils sont d'accord sur le « protocole », mais que le médecin doit prendre personnellement la responsabilité de la future grossesse de Mme Diolo qui viendra le voir aussi souvent que nécessaire, et qu'il doit s'engager à la guérir, à faire naître un bébé vivant ; après cela seulement, elle pourra retourner au pays.

De manière très touchante, le médecin acquiesce à cette sorte de « contrat ». Mais Mme Diolo, assez silencieuse jusqu'à présent, veut en savoir plus sur l'opération. Elle a déjà eu trois césariennes et souhaite surtout que cela ne se renouvelle pas. Le médecin répond qu'il ne peut pas le lui promettre. Mais, lui dit-il, trois ou quatre opérations, cela ne change rien au problème ; ce à quoi Mme Diolo semble acquiescer.

Quand nous sortons de la chambre, il m'explique que, dans son expérience africaine, l'opération — ici, une césarienne — est mal supportée, car vécue comme une dépendance induite et entretenue vis-à-vis de la médecine des « Blancs » (« une fois qu'on a eu une opération, on ne peut plus se passer d'eux »). L'acte chirurgical semble être ressenti comme un geste colonialiste... C'est à l'évidence ce que pensait cette famille, et c'est pourquoi ils se sont sentis compris par la réponse du médecin (« comme vous en avez déjà eu trois, une de plus ou de moins, ça ne change rien, mais je comprends ce que vous ressentez »).

Il faut aussi savoir qu'en Afrique la chirurgie, bien que son efficacité soit reconnue, est vécue comme mutilante. La césarienne en est un exemple caractéristique : elle laisse sur le corps une cicatrice indélébile, témoin de l'incapacité de la femme à faire des enfants « normalement ». Si la mère rentre au pays, les autres femmes découvriront sa cicatrice et pourront l'accuser de ne pas pouvoir faire d'enfants (même si, dans la réalité, elle en a) [17].

L'autopsie du bébé a été acceptée par le couple.

UNE MÈRE EMPÊCHÉE

(histoire de Véronique)

U NE JEUNE FILLE de quatorze ans arrive aujourd'hui. Enceinte de sept mois, elle a été admise pour une interruption médicale de grossesse qui aura lieu demain. Le dossier est parfaitement en règle : trois experts (deux obstétriciens et un psychiatre) ont signé le certificat autorisant l'interruption de la grossesse. Il m'appartient de prendre en charge cette jeune fille sur le plan psychologique et de l'accompagner pendant l'interruption (qui peut durer plusieurs jours puisqu'il s'agit d'un accouchement provoqué) ; d'écouter enfin les réactions ambivalentes des membres de l'équipe.

Véronique est accompagnée de ses grands-parents. C'est une belle adolescente au visage inquiet, exprimant

---

17. Pour plus de détails sur ce point, on peut se référer au numéro que la revue *Migrants-formation* consacre aux familles africaines (n" 91, décembre 1992).

de manière parfaitement adéquate ce qui se passe, ainsi que son choix. Il s'agit d'un véritable cas de déni de grossesse (qui a duré jusqu'au septième mois), ce qui est loin d'être exceptionnel, surtout chez les adolescentes : elle a découvert (pris conscience ?) — ainsi que sa famille — de son état il y a seulement quelques jours, au moment où sa tante (infirmière) a insisté pour lui acheter une robe d'été (elle ne quittait pas jusque-là son vieux jeans qu'elle déboutonnait seulement un peu !).

À ce point de l'histoire, toutes les solutions ont été sérieusement envisagées par Véronique et les trois adultes qui se sentaient responsables d'elle (ses grands-parents et sa tante — femme d'un des frères du père de Véronique) : garder l'enfant ; le donner en adoption ; ou tenter d'interrompre la grossesse, solution ultime qui a pu être envisagée, la tante étant, par son métier, au courant de cette possibilité exceptionnelle.

Un détour par l'histoire de Véronique et de sa généalogie est indispensable avant de se permettre de juger. Encore convient-il, si on tient à le faire, de juger aussi une société qui, face à une histoire désolante comme celle-ci, « offre » soit un abandon — sous X ou non — assorti d'une adoption « à la française » (« cru » loi de 1996), soit un « plateau technique » — comme on dit — dans le cadre d'une loi, elle aussi toute récente (« cru » 1994).

Il est également essentiel de souligner ici que, dans d'autres sociétés, la question de la circulation d'enfants (car c'est bien de cela qu'il s'agit, en négatif) se serait posée tout à fait autrement. Il est probable que cette histoire se serait aussi déroulée d'une façon différente dans la société française d'il y a trente ans.

À travers les péripéties de l'histoire de Véronique, on peut assister, « en direct » pourrait-on dire, à un fait de société contemporain hautement significatif : le choix d'une réponse technique à un problème psychologique, humain et social.

Lorsque Véronique naît, son père a dix-sept ans et sa mère dix-huit. Son père, contrairement à sa mère, la reconnaît (il a été émancipé de ce fait). Puis il confie le bébé à ses propres parents (la grand-mère paternelle de Véronique, qui est ici actuellement avec son mari qui n'est pas le « vrai » grand-père de la jeune fille, mais agit comme tel) et disparaît ensuite de la circulation. Aujourd'hui, il a trente-trois ans. Il n'a pas revu sa fille plus de deux ou trois fois. Sa propre mère dit qu'il est « dans la nature » et qu'il a « gâché sa vie ». On sait qu'il a eu plusieurs enfants avec différentes femmes, dont des jumeaux il y a quelques mois... Sa mère dit de lui (pour l'excuser ?) qu'il ne s'est jamais remis d'avoir eu un enfant si jeune, mais que, de toute façon, il a fait des bêtises toute sa vie ; adolescent déjà, etc. Il « déboule » chez sa mère tous les deux ou trois ans pour raconter le dernier malheur qui lui est arrivé et demander un peu d'argent ; et comme c'est un séducteur, dit sa mère, ça marche toujours. Mais, me dit-elle aussi, il n'a jamais manifesté le moindre intérêt pour Véronique.

Le chapitre de la mère de Véronique maintenant : elle la prend avec elle quelques semaines à la naissance, dans sa chambre dite « de bonne », mais cela se passe très mal (mauvais traitements ?). Elle est seule à Paris, sans famille (sa mère est morte à sa naissance, et son père, paysan, vit dans une ferme, très loin de Paris) ; elle doit chercher du travail... Elle finit par déposer le bébé, en mauvais état physique, chez les parents de son ex-compagnon (les grands-parents actuels) auxquels le jeune père avait confié Véronique à sa naissance. Pendant neuf ans, elle ne donne plus signe de vie...

Véronique est donc élevée par sa grand-mère paternelle et le mari de cette dernière. Malgré sa tristesse, cette histoire reste relativement transparente, sans non-dits, et, somme toute, ne se déroule pas trop mal pendant plusieurs années. Malheureusement (?), la mère de Véronique se marie. Son époux la pousse à reconnaître sa fille et à la reprendre chez elle, au grand dam des grands-parents qui n'ont aucun droit légal sur leur petite-fille. Véronique est alors âgée de neuf ans. Les grands-parents obtiennent cependant un droit de visite, la prennent avec eux un week-end sur deux et la moitié des vacances scolaires. Ils entretiennent avec la mère de Véronique des relations normales et parlent d'elle sans méchanceté, la décrivant comme une « paumée ».

Alain, le mari de la mère de Véronique, a été, me dit la jeune fille, un bon beau-père, l'aidant en particulier pour son travail scolaire. Le couple a un garçon, demi-frère de Véronique, âgé actuellement de huit ans. Mais ils finissent par divorcer. Le beau-père s'en va. Véronique a douze ans.

À partir de ce moment-là, sa situation se dégrade : la mère de Véronique rentre tard le soir ; la jeune fille doit garder son petit frère, faire les courses et le ménage. Ses résultats scolaires deviennent catastrophiques.

Les grands-parents assistent à tout cela avec désolation. Ils entament une démarche juridique pour obtenir la tutelle de leur petite-fille. Cette démarche, longue et compliquée, est toujours en cours au moment où je les vois et devrait aboutir dans quelques mois. Véronique dit qu'avec sa mère, c'étaient des disputes continuelles, qu'elle amenait des hommes à la maison. C'était un peu mieux pour son frère parce que, me dit-elle, il était le chouchou de sa mère et que son père à lui (Alain) le prenait très régulièrement, même pendant la semaine. Véronique était ainsi souvent seule.

Elle est suivie un moment par des « psy », mais a néanmoins fait deux tentatives de suicide en s'ouvrant les veines, l'une l'année dernière, l'autre il y a quelques mois, en janvier. Sa mère, excédée, ne cesse de lui dire de repartir. Ce qu'elle finit par faire en avril, au moment des vacances de Pâques. Véronique débarque alors avec sa valise chez ses grands-parents qui l'accueillent, on s'en doute, à bras ouverts. Ils réussissent à la faire admettre dans un établissement scolaire, pas trop loin de chez eux, pour le troisième trimestre de sa classe de quatrième.

Tout le monde ignore cependant que, depuis le mois de février, Véronique est enceinte : elle fréquentait un garçon de son âge qu'elle aimait, dit-elle. Sa mère savait qu'elle avait un copain, mais ne lui avait jamais parlé de contraception. « C'est un accident de préservatif », me dit Véronique. Ou, probablement, un accident « faute de préservatif » (première relation chez deux jeunes de quatorze ans !). Elle n'a pas revu ce garçon quand elle a déménagé pour aller chez ses grands-parents ; c'était fini, me dit-elle, car il était très fragile : son propre père venait de se suicider... Véronique a préféré ne pas lui dire qu'elle était enceinte pour ne pas l'atteindre davantage. « De toute façon, à quoi ça aurait servi ? » dit-elle.

Avant d'entrer dans le circuit hospitalier, les grands-parents et Véronique ont envisagé d'aller en Angleterre, où l'interruption de grossesse est autorisée jusqu'à vingt-quatre semaines de grossesse, mais la jeune fille ne pouvait quitter le territoire français, faute de carte d'identité. Sa mère, en effet, malgré les demandes réitérées de Véronique depuis des années, n'avait « jamais eu le temps » de s'en occuper...

Quant aux autres solutions face à cette grossesse, écoutons ce qu'en dit l'intéressée elle-même : « Le garder ? comment ? Je vais redoubler ma classe de quatrième, mes grands-parents ne sont pas jeunes [la grand mère dit, en outre, qu'elle a eu un cancer il y a quatre ans], je ne suis pas capable d'élever un enfant et je ne veux surtout pas refaire comme mes parents qui n'étaient pas mûrs pour avoir un enfant. »

« Le faire adopter ? » Je valorise, comme j'ai l'habitude

de le faire, le destin en général plutôt heureux des enfants que l'on donne en adoption à des parents très désirants qui lui offrent une vie meilleure que celle qu'il aurait eue autrement. Je réexplique aussi les deux modes de remise possibles d'un bébé qu'on veut faire adopter : anonyme (accouchement sous X), ou avec une filiation connue, mais non établie (ce qui permet à l'enfant, à sa majorité, de connaître, s'il le souhaite, l'identité de sa mère de naissance, voire de son père). Mais Véronique me répond qu'elle ne pourrait jamais abandonner un enfant, elle qui sait ce que c'est que l'abandon (elle a été, me dit-elle, abandonnée trois fois : une première fois par son père, puis deux fois par sa mère !). Et elle ajoute : « Même si l'enfant ne me connaît pas, je sais que dans son cœur [elle montre son cœur] il aurait toujours le sentiment que sa mère (moi) l'a rejeté. Je ne veux pas qu'il vive avec ça, c'est trop affreux. Je préfère recommencer à zéro [18], travailler dur en classe, mettre les bouchées doubles et, plus tard, avoir des enfants désirés quand je vivrai en couple. Si je ne fais pas ça [l'interruption de grossesse], l'histoire va se répéter indéfiniment : avoir un enfant trop jeune, ne pas l'élever, et ça recommencera à la génération d'après ; non, je veux arrêter cet engrenage. » La compulsion de répétition est parfaitement expliquée par cette jeune fille.

Quoi dire de plus ? Surtout dans une telle urgence...

Je lui explique à nouveau le déroulement de l'intervention, parle d'elle à l'équipe de l'étage et l'accompagne dans sa chambre. Tout a été très bien organisé, d'ailleurs, par la surveillante : Véronique est installée dans une chambre seule, à un étage où il n'y pas de bébés ; et la grand-mère est autorisée par l'obstétricien à accompagner sa petite-fille jusqu'en salle de naissance [19].

---

18. Ah ! ce vieux fantasme ! Universellement répandu au demeurant, quels que soient l'âge, le sexe, la couleur ou le niveau socio-culturel...
19. Je me sens obligée de m'excuser auprès de Véronique pour ce mot...

Je dis à Véronique que je la reverrai le lendemain et la semaine suivante ; et je m'assure d'une prise en charge psychologique ultérieure pour elle, ce qu'elle demande d'ailleurs.

Premier hiatus (il y en a toujours dans ces histoires lourdes) : comme Véronique est mineure et toujours officiellement sous l'autorité de sa mère, il faut que celle-ci vienne signer l'autorisation d'opérer. La grand-mère téléphone donc à « la mère » (c'est ainsi qu'on l'appelle chez eux) pour lui annoncer la nouvelle. Elle se serait exclamée, me dit Véronique : « Petite s..., me faire ça à moi ! » *(sic)*. Elle se rend pourtant à l'hôpital pour signer la décharge au moment même (un vrai hasard !) où je m'entretiens avec Véronique... La mère de Véronique n'a pas sa fille « sur sa Sécu », c'est le (faux) grand-père qui l'a. Aussi demande-t-elle, et obtient-elle, l'autorisation de ne pas venir pour la sortie de sa fille. C'est donc le grand-père qui la fera sortir.

Je demande à Véronique si elle souhaite que je voie sa mère. Elle me répond négativement, presque avec indifférence : « Voyez-la si vous voulez, moi je n'ai rien à lui dire, elle n'est plus rien pour moi. » Je ne vois donc pas la mère ; ce qui ne m'empêche pas de me poser des questions sur ma collusion de fait avec le clan « Véronique et ses grands-parents » ; en « rajoutant » peut-être dans le court-circuit de cette femme qui en a déjà tellement fait pour se gommer (se « dégommer » ?). Mais l'urgence — j'ai passé deux heures sur ce cas, d'autres patients attendent — et le souci de ne pas faire de « psychanalyse sauvage » dans une histoire si complexe me retiennent.

La surveillante du rez-de-chaussée, rencontrée le soir en partant, ne me rassure pas sur ce dernier point. C'est elle qui a présidé à la séance de signature avec la mère de Véronique et le grand-père (présent à cause des papiers de Sécurité sociale). Cette femme, frêle et triste, rasait les murs, me dit-elle, elle paraissait écrasée par ce grand-père...

Qu'avons-nous tous, équipe et patients, contribué à répéter ? Avons-nous fait ce qu'il y avait de moins mauvais pour Véronique, ses ascendants et descendants ? Avons-nous, malgré nous, répété une version d'un scénario du rejet que la jeune fille a imaginé que sa mère avait eu envers elle à sa naissance ? Ou avons-nous, au contraire, aidé cette famille à arrêter une répétition mortifère ? L'avenir seul le dira. Les grands clercs, les voyants extra-lucides en matière de prévision psychosociale en seront ici pour leurs frais...

Le surlendemain, quand j'arrive, Véronique n'a toujours pas accouché. Elle est dans sa chambre, sous perfusion, après avoir passé plusieurs heures en salle de naissance : l'injection intracardiaque de potassium (geste du féticide) faite sous échographie au fœtus a été difficile à réaliser (Véronique était, elle, anesthésiée). L'accouchement va maintenant commencer à être déclenché, très lentement, pour ne pas violenter son corps ; cela va durer sans doute encore un ou deux jours. La grand-mère est là, presque en permanence, à côté de sa petite-fille ; elle s'apprête à attaquer sa deuxième nuit sur un fauteuil.

Véronique est calme, elle se plaint de temps en temps de son ventre qui « durcit ». Visiblement, elle ne sait pas que ce sont des contractions d'accouchement. La grand-mère, qui a eu trois enfants, le sait, elle, très bien ; elle en a les larmes aux yeux. On donne à Véronique des antalgiques. Chacun la rassure du mieux qu'il peut. L'anesthésiste lui dit qu'elle ne sentira rien, qu'elle ne verra rien.

Mais la grand-mère, me disent les infirmières, s'est mis en tête de voir le fœtus... « Il faut l'en dissuader, qu'en pensez-vous ? » Je vais m'entretenir seule avec elle plus tard dans la journée.

Un des experts obstétriciens qui a signé le certificat d'interruption thérapeutique de grossesse a dit, me rapporte-t-on, que les experts psychiatres qui posent ce type d'indication (pour motif psychiatrique ou pour détresse psychosociale) devraient, selon lui, assister au moins une fois dans leur vie, de bout en bout, à ce « geste » qui peut durer trois jours. Un de ses collègues, expert-psychiatre, l'aurait fait, et, bouleversé, n'aurait, paraît-il, plus jamais signé ensuite d'autres certificats de ce genre.

Certes, c'est très pénible pour tout le monde. Mais la question se situe bien en amont des sensibilités individuelles. Dans l'immédiat, en tout cas, c'est toute l'équipe qui « avorte », qui vit un échec : les Maternités ne sont pas des lieux destinés à faire mourir les bébés. Et les textes de loi ne sont pas prévus pour organiser des féticides.

Histoire de Safia
(s u i t e)

Aujourd'hui, Safia a d'abord rendez-vous avec l'anesthésiste, puis avec moi. La césarienne est prévue pour dans quinze jours.

Quand Safia arrive dans mon bureau, elle est très en colère. La consultation avec l'anesthésiste s'est visiblement mal passée. Safia me révèle en effet, comme elle vient de le dire à l'anesthésiste qui l'a, semble-t-il, un peu envoyée « bouler », qu'elle est Témoin de Jéhovah. Elle exige par conséquent une assurance qu'on ne la transfusera pas durant la césarienne. Elle préférerait mourir, dit-elle, que de recevoir du sang étranger. « Ce serait comme un viol. Mon corps m'appartient. Après tout ce qu'on m'a fait... » À l'évidence, même si le refus de transfusion est un dogme chez les Témoins de Jéhovah, ce ne sont pas que des mots pour Safia. Nulle métaphore dans la manière dont elle s'exprime...

Ébranlée, je demande au chef de clinique de lui parler, en médecin, de la question de la transfusion. Il explique alors calmement à Safia que deux systèmes de valeurs s'affrontent dans ce cas : écouter ce que veut le patient et respecter sa liberté individuelle, d'une part ; rester fidèle au devoir du médecin qui est d'assister une personne en danger, d'autre part. Par conséquent, lui dit-il, dans le cas exceptionnel où une hémorragie la mettrait en danger de mort, on devrait sans doute lui faire une transfusion. Mais le médecin répète qu'on tiendra le plus grand compte de ce que Safia exprime ; et que les médecins sont d'ailleurs très réticents maintenant vis-à-vis des transfusions, etc. Safia sourit (mais je sais ce que cache ce sourire : une colère violente, clastique) et répond tranquillement qu'elle veut une assurance à cent pour cent qu'on ne la transfusera pas. Silence. Chacun campe sur ses positions.

En forme de boutade et pour détendre l'atmosphère, je dis que ce serait trop triste de laisser un orphelin, après cette grossesse qui s'est bien déroulée et qui représente une telle revanche sur le destin.... Safia me répond, glaciale, que son bébé ne serait en aucun cas orphelin ! Un ange passe... Je repense à l'histoire de l'amie marocaine. Un instant, j'imagine celle-ci en voleuse d'enfant, sur fond de danse satanique menée par les Témoins de Jéhovah...

Je ne voudrais pas qu'on croie que je diabolise les Témoins de Jéhovah qui, dans l'histoire de Safia, ont joué un rôle plutôt positif. Ce n'est pas un hasard, en effet, si elle leur a fait confiance pendant sa grossesse : on se souvient que, lorsqu'elle était adolescente, c'est un couple Témoins de Jéhovah qui lui a permis d'échapper aux griffes de son oncle-père.

Mon visage reste cependant (je l'espère) aussi impassible que celui de Safia. Je lui conseille de prendre rendez-vous avec l'obstétricien qui doit l'opérer. Nous nous reverrons le jour de la césarienne. Pourvu qu'elle n'arrive pas pour accoucher, en catastrophe, avant la date prévue...

Histoire de Véronique
(s u i t e)

Véronique est descendue en salle de naissance ce jeudi à huit heures du matin. Je ne viens aujourd'hui que l'après-midi ; vers midi, sa grand-mère m'a appelée à mon cabinet pour me dire que tout allait bien pour l'instant.

Quand j'arrive, on me dit que l'accouchement s'est bien passé, mais qu'il est urgent que j'aille calmer la grand-mère, bouleversée et très en colère parce qu'on l'a fait sortir de la salle de naissance au moment de l'expulsion. Véronique, elle, n'a rien vu, n'a pas eu mal, ne se souvient de rien, comme elle me le dira plus tard.

Me voici dans le couloir de la salle de naissance. La grand-mère est hors d'elle. Elle sanglote, elle veut voir le bébé. Elle me dit qu'on lui avait promis qu'elle pourrait rester tout le temps. Les pères (ou la mère de la mère quand il n'y a pas de père) ont bien le droit d'assister à l'accouchement, alors pourquoi pas elle ?

Je passe un long moment à lui expliquer qu'il ne s'agit pas d'un accouchement « ordinaire » et je lui répète la position de l'équipe sur le fait de voir ou non le bébé : seules les mères (et les pères) peuvent, s'ils le veulent, voir les bébés morts. En l'occurrence, il était hors de question que Véronique le voie puisque, consciemment, elle n'avait même pas réalisé qu'elle avait donné vie et mort à un bébé.

J'explique à la grand-mère le mécanisme de déni de grossesse, puis d'accouchement que nous avons tous (équipe, experts, grands-parents) plus ou moins supporté, avalisé. Non pas que ce ne soit pas un mécanisme dangereux, loin de là ; mais parce que, dans cette circonstance exceptionnelle, nous avons pensé que l'adolescente ne pouvait sans dommage affronter ce traumatisme. Je dis à la grand-mère que plus tard, sans doute, le déni se lèvera, mais qu'entre-temps Véronique aura appris à mieux se connaître. Et j'ajoute qu'elle demandera peut-être des comptes (ou des comptes rendus) à sa grand-mère qui risquerait alors de représenter à elle seule, par ses yeux qui auraient vu ce bébé, le témoin de l'existence et de la mort de ce dernier. La grand-mère deviendrait le témoin de ce meurtre, alors que nous avons décidé, nous équipe, d'assumer ce geste à la place de Véronique. Je dis que le bébé mort, sain et bien formé, a été vu et même photographié, comme on le fait toujours, par des membres de l'équipe. Nous, et nous seuls, sommes les témoins.

Nous avons toutes les deux un long échange sur ce thème. La grand-mère se calme un peu et me dit en pleurant que, si elle avait eu dix ans de moins et Véronique cinq ans de plus, elle et son mari auraient gardé le bébé. Elle se reproche aussi de ne s'être pas assez battue pour que Véronique ne soit pas reprise par sa mère à l'âge de neuf ans, car, dit-elle, « tout a commencé à ce moment-là ».

Pour faire diversion et alléger un peu l'atmosphère (nous sommes toutes les deux bottées, casquées, dans la salle de naissance contiguë à celle où Véronique finit de se réveiller), je l'invite à dévider l'écheveau du « tout a commencé » et je lui demande comment son fils et la mère de Véronique se sont rencontrés. Elle me dit : « Tout a commencé quand mon fils, qui avait seize ans, a proposé de sortir le chien tous les soirs. Mon mari a fini par découvrir que le chien était attaché au poteau du coin de la rue, tandis que mon fils était avec Hélène... » Ça a été le début de tout, sauf que, dit-elle, « mon fils aîné — le père de Véronique — faisait des conneries depuis l'âge de douze ans, depuis notre divorce » (celui de la grand-mère et de son premier mari, le père de ses trois enfants, dont le père de Véronique).

Je lui demande alors la raison de son divorce. « Ça va vous faire rire, me dit-elle, mon mari était un vrai jumeau. Son frère et lui étaient absolument identiques, ils avaient les mêmes manies, les mêmes pensées (ils sont d'ailleurs morts il y a quelques années, à trois mois d'intervalle, de la même maladie). Mais le problème était que mon beau-frère ne s'est jamais marié et qu'il est resté accroché à nous ; il était tout le temps à la maison ; et en plus les deux frères se disputaient sans arrêt. Nous sommes même partis à l'étranger, mais il nous a suivis ! Ça a gâché mon mariage... On pourrait en écrire un livre. » En effet...

LA MÈRE, LE BÉBÉ, LE PLACENTA

(histoire de Mlle Gaxos)

Q UAND JE SORS de la salle de travail où je viens de passer un long moment avec la grand-mère de Véronique, on me demande d'aller faire un tour au second étage, celui des « accouchées sans problèmes » (c'est-à-dire sans problèmes à l'accouchement). Il y a là, en effet, une jeune femme arrivée ce matin tôt, à pied, à la Maternité, son nouveau-né enveloppé dans une couverture, avec, à la main, une cafetière dans laquelle elle avait mis le placenta, le cordon non coupé...

Le bébé se trouve à l'unité des prématurés ; il a eu un peu froid et a été mis sous antibiotiques en raison d'une légère infection ; mais il va plutôt bien me dit le pédiatre. Il pèse deux kilos huit cents. Sa mère a raconté à la surveillante que le bébé était né à cinq heures du matin, qu'elle l'avait lavé avec un bain de camomille ; mais qu'elle avait eu peur de couper le cordon et avait donc décidé d'aller à l'hôpital, endroit où elle pénétrait, dit-elle, pour la première fois de sa vie, ayant une santé très robuste, assortie d'une solide méfiance envers la médecine.

Mlle Gaxos est une jeune femme d'origine serbe, âgée de trente-cinq ans — « une intellectuelle, vous allez voir », m'a prévenue l'assistante sociale. Intellectuelle, sûrement (un niveau d'études tout ce qu'il y a de plus supérieur), mais avec un vécu de descente aux enfers qui l'a menée presque sur le trottoir : elle est arrivée ce matin d'un foyer de l'Armée du Salut où il est interdit d'être enceinte, et même de l'avoir été... Elle ne pourra donc pas y retourner puisqu'elle a trompé la directrice en lui cachant sa grossesse.

Cette jeune femme est à la fois impressionnante et fragile. Elle se situe dans une logique de défi : toute sa vie est un défi, à sa famille, son pays, son corps, aux corps constitués, etc. Enceinte un peu par hasard (mais pratiquant le retrait comme seul moyen contraceptif !) d'un homme camerounais de passage (le bébé a en effet les testicules noirs, dit le pédiatre...), elle a joué cette grossesse « à la roulette russe ». « S'il tient, c'est que nos liens sont suffisamment forts ; si ce n'était pas le cas, j'aurais fait une fausse couche. »

Mlle Gaxos a aussi pensé à le donner en adoption. Pendant sa grossesse, elle a contacté l'Association Moïse, où elle a vu une psychologue ; mais la deuxième fois qu'elle y est allée, la psychologue était en vacances. Apparemment, Mlle Gaxos a saisi ce prétexte pour ne pas donner suite...

Elle hésite sur la décision à prendre, étant, à l'évidence, tout ce qu'il y a de plus ambivalente vis-à-vis de ce bébé. Elle a néanmoins commencé à l'allaiter ; toujours par défi, pour voir la qualité de leurs liens. « Si j'ai du lait, c'est que ça marche entre nous, sinon... » Elle le prénomme du troisième nom d'Apollon, Phœbé. Elle ne l'a pas reconnu à la mairie pour l'instant.

Nous allons voir le bébé ensemble : il dort dans sa couveuse, beau comme Apollon... La situation est angoissante. Chacun se demande : « Quelle est la meilleure chance dans la vie pour ce bébé ? Qu'il soit adopté ? Qu'il reste avec sa mère ? »

Mlle Gaxos semble avoir ce même type de fantasmes... Elle me dit que, dans les éléments en faveur de l'adoption, il y a le fait qu'elle a été elle-même rejetée par sa mère dès le départ (celle-ci lui a toujours dit qu'elle avait tout fait pour avorter parce que ce bébé — elle — arrivait dix mois après sa sœur aînée ; quant à son père, il voulait un garçon !). Elle ajoute qu'en faisant adopter le bébé, elle ne court au moins pas le risque de le détester, ni celui de lui faire vivre le rejet dont elle a été, elle, l'objet parce qu'elle tombait mal... Dans les éléments qui jouent pour qu'elle le garde, en revanche, il y a le fait que ce bébé sera sans doute son seul enfant, et surtout, que ce qui leur est arrivé à tous les deux pendant la grossesse (y compris « l'aventure » de l'accouchement) montre qu'il y a sans doute une fusion très forte entre eux. Mais elle me dit avoir de nombreux projets dans la vie, notamment celui de partir en Amérique latine dans quelques mois. Le bébé, au milieu de tout cela, n'a guère de place !

J'évoque la possibilité qu'elle prévienne ses parents de la naissance du bébé. Mlle Gaxos me répond qu'elle le fera sans doute, mais que cela ne changera rien. C'est à elle seule de prendre la décision. Sa solitude est immense, en effet. La responsabilité qu'elle doit endosser l'effraie. Nous aussi. On la sent très désemparée et angoissée. Perdue dans l'espace, elle se trompe d'étage en allant voir son bébé...

Mlle Gaxos ne me demande pas véritablement de l'aider, mais de l'écouter. Toutefois, elle me questionne longuement sur l'adoption et notamment sur le rejet, dit-elle, que peut ressentir un enfant adopté à l'égard de sa mère de naissance pour l'avoir abandonné. Je lui fais part de mon expérience sur ce qu'en disent les adultes adoptés, en analyse. Mlle Gaxos dit qu'en tout cas, si elle fait adopter son bébé, elle lui laissera son nom, par honnêteté. Ainsi, à dix-huit ans, s'il a des reproches à lui faire, il pourra aller la trouver et ils s'expliqueront. Sinon, dit-elle, c'est malhonnête de laisser un enfant dans la nature.

Je lui donne mon numéro de téléphone et lui propose de la revoir si elle le souhaite. Sa « chance », peut-être, est que son bébé doive, pour raisons de santé, rester encore au moins une semaine chez les prématurés. Ce délai sera, peut-on espérer, bénéfique à cette « pas-encore-mère ».

Histoire de Véronique
(suite)

O N A REMONTÉ Véronique dans sa chambre en fin d'après-midi : elle est calme, ses grands-parents aussi, qui s'apprêtent, après trois jours, à rentrer dormir chez eux. Rendez-vous est pris dans quinze jours avec les trois personnages de cette « crèche » touchante : la jeune mère ressemble à un petit jésus joufflu et rose ; à droite du lit, sa grand-mère est penchée sur elle, lui tenant la main, émue ; à gauche, son grand-père, barbu, protecteur... Lumière de fin de soirée, douce, tamisée. Apaisement après toute cette violence.

Histoire de Safia
(suite)

N OUS AVONS une vive discussion en équipe au sujet de Safia et du problème que sa future césarienne pose depuis qu'elle nous a annoncé qu'elle était Témoin de Jéhovah. En cas de problème, l'anesthésiste redoute la prison ; l'obstétricien craint plutôt l'amende. La surveillante soutient, pour sa part, qu'il n'y a pas de problème, que le directeur de l'hôpital est habilité à signer l'autorisation de transfusion ; il vient d'y avoir un cas dans un service voisin où, à la suite d'une opération digestive, une femme, Témoin de Jéhovah, a failli mourir dans l'ambulance ; on l'a transfusée à la dernière seconde. Chacun (pourtant bien informé et compétent) y va de son analyse, tant de l'idéologie des Témoins de Jéhovah que de celle de la législation française et internationale. Malgré les millions d'opérations faites sur des adeptes de Jéhovah dans le monde, et donc sur les milliers de cas de transfusion, la situation ne semble pas claire. L'expert anesthésiste, en congrès à l'autre bout du monde, a été consulté au téléphone : que faire si Safia est à l'article de la mort ? Ne pas transfuser, aurait-il répondu [20].

En tout cas, une solution est désormais impossible : celle de transfuser et de ne rien dire, cela en raison des cas de sida et d'hépatite C. D'autre part, certains membres du personnel sont Témoins de Jéhovah, me dit confidentiellement l'anesthésiste ; il y aurait donc, de toute façon, des risques de fuites...

Pour compliquer un peu plus les choses, il se trouve que Safia a un sang très rare ; du coup, on a dû préparer d'avance des flacons de sang. Finalement, la décision est prise de la transfuser en cas d'urgence vitale. Après moult discussions, Safia a en effet écrit une deuxième lettre (tout cela est soigneusement consigné dans le dossier) qui modifie la première, radicale et menaçante. Dans cette lettre, elle accepte d'être transfusée en dernière extrémité. Ouf !

---

20. En cas d'urgence, nous aurions évidemment téléphoné au chef de service de la Maternité, en vacances à ce moment-là. Plus tard, celui-ci me dira qu'il aurait prescrit une transfusion, sans autre forme de procès... Et si procès il y avait eu (les Témoins de Jéhovah adorent la procédure), il se serait fait un plaisir d'expliquer au tribunal ses positions (devoir d'assistance du médecin à personne en danger).

Mercredi soir, Safia est admise dans le service. Quand j'arrive le lendemain matin, la césarienne vient de se terminer. La jeune mère est radieuse, son petite garçon, Richard, dort calmement dans son berceau ; c'est un adorable nouveau-né tout blond (il ressemble à son père, me dit Safia). Sa mère — qui a mis une magnifique perruque pour venir accoucher — le regarde, littéralement en extase. La césarienne s'est très bien passée. Ouf *again* !

Safia et moi parlons autour du berceau. Scène de crèche encore une fois (suis-je l'âne ou le bœuf ?). J'essaie de jouer mon rôle de bonne fée-marraine ; et je ne me force pas trop...

Les Témoins de Jéhovah se sont faits discrets : deux jours avant la naissance, efficaces, ils ont pris en charge le déménagement de Safia. La sœur de l'amie marocaine est venue l'accompagner à l'hôpital, mais l'amie elle-même n'a pas fait le voyage. Tout va bien, donc. Il est prévu que je passerai revoir Safia tout à l'heure dans sa chambre. Mais quand j'arrive, on m'apprend que la jeune mère est redescendue au bloc en raison d'un hématome de la paroi (!) ; elle a perdu beaucoup de sang, me dit la sage-femme. Je redescends en trombe : la nouvelle opération vient de se terminer, mais on a dû réouvrir la cicatrice. Il n'y a pas eu, heureusement, de problème de transfusion...

Safia est sous perfusion, pâle, mais toujours sur son nuage de bonheur. On lui a redonné son bébé dès sa sortie du bloc : bardée de tuyaux, elle a la tête tournée vers lui et le regarde en souriant. Elle lui parle, il ouvre les yeux ; elle me dit que depuis qu'il est né ce matin, il reconnaît la voix de sa mère. Je parle moi aussi à Richard : je lui raconte ce qui s'est passé depuis le moment de sa naissance et pourquoi il a été séparé de sa maman pendant quelques heures. Il écoute, ouvre les yeux à nouveau, sourit.

Safia attend avec impatience de remonter dans sa

chambre, d'allaiter son fils, de le changer, de le voir enfin tout nu. Les amis Témoins de Jéhovah viendront, me dit-elle, l'aider pour sa sortie dans une dizaine de jours. Elle me donnera de ses nouvelles en septembre. Safia a été très touchée par l'attention et le soin de tous les membres de l'équipe ; elle le dit et remercie toute l'équipe présente. Les discussions violentes autour de la transfusion semblent oubliées.

Reverrai-je Safia ? Pas sûr. Jéhovah et Freud ne font pas bon ménage.

Histoire de Mme Long
(s u i t e)

L'ASSISTANTE SOCIALE m'appelle : « J'ai dans mon bureau Mme Long que vous aviez vue il y a six semaines. Elle est enceinte de dix-huit semaines maintenant et, après avoir pris un rendez-vous pour une interruption volontaire de grossesse, il y a un mois (rendez-vous auquel elle ne s'est pas rendue), elle vient aujourd'hui nous dire qu'elle ne veut plus de cet enfant. » Le délai légal est passé ; et le chef de clinique refuse une interruption exceptionnelle de la grossesse.

Je m'entretiens donc avec Mme Long : tête basse, elle me dit qu'elle a honte d'avoir changé d'avis, mais qu'elle s'est fait tabasser dans son squat samedi dernier par une bande de jeunes qui l'ont traitée de « pouffiasse, salope » et lui ont pris toutes ses affaires. Elle est en effet couverte de bleus et couche dans un foyer d'urgence depuis quelques jours. « Vous comprenez que je ne puisse plus garder cette grossesse », m'explique-t-elle. Oui, me dis-je en moi-même, je comprends... En plus, le père, « le Bosniaque blond au sperme faible », est venu l'injurier ; il lui a dit qu'il avait une femme et des enfants et qu'il ne voulait plus d'elle, « gros tas qui le dégoûtait » !

Que faire de moins nocif pour aider cette mère ?

L'assistante sociale s'emploie à lui trouver un foyer maternel. Elle me demande si j'ai abordé la question de l'adoption avec Mme Long. Je l'avais fait : cela avait été un moment très intense car Mme Long m'avait dit qu'elle pensait à ses trois enfants, qu'elle voudrait tant reprendre. Abandonner celui-là en plus... Nous parlons de sa décision de ne plus vivre dans la rue ; pour une femme et, à son âge, c'est trop dangereux, et l'entourage de son box devient vraiment, me dit-elle, trop mal fréquenté. Je suis bien d'accord et le lui dis... Il est, en principe, convenu que Mme Long ira dans une maison maternelle et reviendra me voir en septembre pour reparler du projet d'adoption auquel elle ne semble pas encore résolue, mais dont elle veut bien discuter. Je lui propose de l'accompagner dans ce sens et dans sa tentative de « remonter », après sa descente aux enfers.

Mme Long semble aller mieux en sortant. La surveillante lui fixe un rendez-vous pour faire une amniocentèse (Mme Long a quarante ans) ; cette dernière n'a pas l'air de comprendre très bien le pourquoi de cette intervention. Et pourtant... Autant, en vérité, ne pas mettre au monde un enfant mongolien, difficilement adoptable... Mais cela, c'est notre raisonnement à nous. Mme Long est sans doute à mille lieues de le concevoir.

Histoire de Nour
(suite)

NOUR M'ATTEND, habillée à l'européenne cette fois. Elle me montre la lettre recommandée qu'elle vient de recevoir : l'audience qui statuera sur son cas est fixée au 9 septembre. Si aucune solution n'est trouvée, ce sera la réexpédition à l'aéroport d'Entebbe (Ouganda), d'où, me dit-elle, on ne revient pas.

À nouveau, la peur se lit dans son regard. J'essaie de la rassurer ; en vain pour l'instant. Elle me dit : « Vous, vous êtes française, vous avez un métier, une famille, vous ne pouvez pas comprendre ce que c'est que d'être de nulle part. » Je lui réponds : « Si, si. » Suis-je crédible dans ma compassion ?

Nous parlons de Paris, où elle vit depuis un an et qu'elle ne connaît pas : elle n'a vu ni le Louvre, ni la tour Eiffel, ni la Concorde, seulement la gare de Lyon et un ou deux squares. Nour me dit qu'elle a peur de la foule et qu'il est trop dangereux de sortir à cause de la police. J'ai une envie (enfantine) de lui faire visiter Paris en voiture à mon retour de vacances et réalise que, d'ici là, elle ne sera peut-être plus là. Je lui donne un peu d'argent pour qu'elle s'achète des journaux anglais et nous discutons de la politique des grandes puissances en Afrique.

Nous parlons aussi de son enfance, de ses relations avec ses parents : elle était très proche de son père, me dit-elle, un homme devenu militaire un peu par force, car c'étaient la littérature et la musique qui l'intéressaient. Je repense à ce que me disait l'assistante sociale : « C'est comme si Nour était la fille de Hitler. Si Hitler avait eu une fille, aurait-elle été considérée comme coupable ? » Nour, parmi d'autres talents, est musicienne. Elle jouait du piano en Ouganda ; ici, elle a récupéré un orgue électrique laissé par quelqu'un qui a quitté le foyer. Elle en joue et compose sa propre musique, faute de partitions.

Histoire de Mlle Gaxos
(s u i t e)

J E VAIS FAIRE une visite à Phœbé, fils de Mlle Gaxos, la jeune femme serbe ; c'est un petit costaud vigoureux qui hurle quand il a faim. Le problème est que lorsqu'il réclame, on attend d'abord sa mère (qui a quitté l'hôpital depuis peu et est censée venir l'allaiter deux fois par jour). Comme elle est rarement à l'heure, on finit par donner un biberon au bébé. Du coup, quand sa maman arrive, il dort la plupart du temps. Alors, elle le prend, l'air prostré, le regarde pendant un long moment, silencieuse, puis repart sans parler aux puéricultrices, non sans avoir entendu des remarques peu amènes sur ses horaires...

La maman ne s'est toujours pas décidée quant à l'avenir du bébé. La perspective qu'elle le reprenne inquiète l'équipe, d'autant qu'elle n'a pas de lieu où aller ; elle loge en effet, en ce moment, chez une amie qui part à l'étranger à la fin du mois d'août et rend son appartement. On me reproche discrètement de ne pas pousser davantage Mlle Gaxos vers l'adoption...

Rentrant le soir dans mon bureau, je la trouve qui m'attend dans le couloir. Elle me dit à quel point elle souffre du décalage dans l'horaire des biberons, mais qu'elle est épuisée. Elle a trois heures de métro tous les jours pour venir à la Maternité ; et, quand elle arrive, le bébé est déjà nourri ! Elle est découragée. « De toute façon, je n'ai presque plus de lait », me dit-elle. Puis, elle ajoute abruptement : « Quand je n'aurai plus de lait, qu'est-ce que je viendrai faire ici ? » Silence. Mlle Gaxos se reprend et dit : « Oui, je viendrai le voir. »

Mon fantasme (le pédiatre me dira plus tard que c'est aussi le sien) est qu'elle cesse un jour de venir. Elle me dit qu'elle ne peut pas prendre de décision parce qu'elle n'a pas le temps de réfléchir. Revoilà ce fameux temps d'élaboration qui manque...

Elle me dit qu'elle aurait besoin de calme et de solitude. On lui a proposé un foyer maternel, elle est allée le voir, mais il ne lui plaisait pas. « Ce sont de très jeunes femmes, pas mon genre. Et c'est en grande banlieue, très loin des quelques amis que j'ai à Paris. »

En fait, cette mère semble aussi désemparée qu'au premier jour, même davantage. Elle me dit : « Je ne savais
pas que c'était si fatigant d'accoucher. » Nous parlons un
peu de ces défis permanents qu'elle se lance, de cette
barre qu'elle semble placer toujours plus haut. Comme
d'habitude, je lui dis qu'elle peut revenir me voir quand
elle veut.

Deux jours plus tard, je la croise dans le couloir. Elle
me tend une main moite d'angoisse, son regard est
fuyant. Elle me dit qu'elle aurait aimé reprendre le bébé
pour ce week-end, pour voir s'ils peuvent s'habituer l'un
à l'autre et si elle sait s'occuper de lui dans une situation
réelle ; mais le pédiatre a refusé. Il y a eu, paraît-il, une
altercation entre le pédiatre et l'amie qui la loge, cette
dernière ayant vivement reproché à l'équipe de vouloir
séparer le bébé de sa mère ; elle s'est fait renvoyer dans
ses foyers (si l'on peut dire) tant par le pédiatre que par
l'assistante sociale qui lui ont dit de ne pas se mêler de
ce qui ne la regardait pas (cela a été confirmé par les
intéressés plus tard).

L'assistante sociale me montre le rapport qu'elle envoie
au juge des enfants. J'y lis, non sans surprise, qu'il y
aurait une suspicion d'inceste entre le père et la fille
(Mlle Gaxos avec son père qui vit en ex-Yougoslavie).
J'exprime mon étonnement, cette jeune femme m'ayant
clairement parlé du géniteur camerounais (le bébé est
d'ailleurs objectivement noir). L'assistante sociale, éva-
sive, dit que Mlle Gaxos a dit avoir été très proche de son
père depuis le divorce de ses parents il y a une dizaine
d'années ! Elle est en France depuis longtemps, pourtant... Elle serait, paraît-il, retournée dans son pays à une
date qui pourrait correspondre à celle de la conception
du bébé (?).

Je saisis l'occasion quand je revois Mlle Gaxos, le soir
avant de partir, d'essayer de clarifier les choses et de
reparler du père. Elle avait d'ailleurs dit à une puéricul-

trice qu'elle ne pourrait faire vivre son fils dans son pays, car les Noirs y sont très rares et les Serbes très racistes. La maman me confirme l'identité du Camerounais, un homme qu'elle a connu pendant quelques mois.

Fantasmes d'équipe sur l'inceste, à l'instar de ceux que nous avons régulièrement sur la prostitution ? Ou bien est-ce toujours cette fameuse réalité-vérité qui se dérobe ? Nous en reparlons en équipe. L'assistante sociale me dit qu'elle a peut-être un peu « tiré » la description que Mlle Gaxos lui a faite de ses relations avec son père, mais elle pensait agir dans l'intérêt de l'enfant, car cela pouvait aider la décision du juge et faciliter l'adoption future. En prenant des notes dans le dossier, j'essaie, moi aussi, d'expliquer la situation aussi clairement que possible. Mais je sais que probablement personne — qui ait un rôle pour la suite de l'histoire du bébé — ne lira ces notes, car elles figurent dans le dossier médical, auquel les juges et les travailleurs sociaux n'ont pas accès... En tout cas, je ferai tout mon possible pour ne pas laisser s'accréditer la thèse de l'inceste. Bien assez de nuages s'accumulent déjà sur la tête de ce petit Phœbé. Œdipe en plus, c'est trop !

Histoire de Sylvie
(suite)

J E TROUVE un mot sous ma porte : « La jeune Togolaise a accouché, elle veut vous voir. » Sylvie, seize ans, seule dans sa chambre, essaie avec difficulté d'allaiter son petit garçon, un beau bébé à terme. Elle est triste à faire peur ; ses yeux, surtout, portent toute la misère du monde. Je la félicite ; elle sourit tout de même. À ma question sur le prénom du bébé, elle me répond que la tante n'a pas encore décidé (sic), mais va le faire cet après-midi. Sylvie souhaiterait, pour sa part, un prénom double : « Christ, plus un prénom togolais » (Sylvie est de religion protestante).

Sylvie me demande de revenir quand la tante sera là. Je la sens très mal à l'aise, apeurée. Nous reparlons donc surtout de la période de sa grossesse, du fait qu'elle a dû rester à la maison, quasiment alitée, pendant deux mois. Sa tante a été très gentille pour elle, me dit-elle, se comportant comme sa propre mère : elle était présente pendant tout l'accouchement. Sylvie me dit vouloir retourner chez elle, surtout pas dans un foyer. Je reviendrai donc, plus tard dans la journée, m'entretenir avec la redoutable tante !

Le hasard des rencontres de couloir fait que je croise la sage-femme qui a suivi la jeune fille à domicile. Elle me dit que l'appartement de la tante est certes très confortable..., mais qu'elle n'a jamais pu parler seule à Sylvie. Elle ajoute que la (vraie ?) fille de la tante, quatorze ans, a l'air d'une enfant battue et non scolarisée. Il y a en plus à la maison un bébé de un an, fils de la tante et de... qui ? personne ne sait. Son impression est que c'est « black mic-mac » ; film qu'elle m'engage à aller voir...

Avant d'affronter la tante, je préfère me « munir de biscuits ». Je vais donc consulter le dossier social que je lis avec l'assistante sociale. Celle qui suit ce cas est en vacances et l'actuelle ne connaît l'histoire que par ouï-dire. Apparemment, ils ont été nombreux ! Les uns pensent qu'il s'agit d'un réseau pédophile, les autres voient plutôt la tante en prostituée, tenant un faux salon de coiffure... La brigade des mineurs a fait une enquête, le juge a été prévenu également, mais on n'a strictement rien trouvé. La tante détient maintenant l'autorité parentale sur Sylvie et la décision du juge va probablement être de maintenir la nièce au domicile de la tante chez laquelle Sylvie désire vivre.

Nous allons ensemble, l'assistante sociale et moi, rencontrer Sylvie et sa tante. Cette dernière, sublime — forcément sublime —, est habillée à l'africaine (la dernière fois que je l'avais rencontrée, elle était en tailleur genre Chanel). Elle nous reçoit froidement. La conversation s'enlise vite.

Prenant mon courage à deux mains, je lui dis que le problème qui me préoccupe, en tant que psychanalyste, c'est la question du père. Tout le monde parle en effet de ce bébé et de son avenir avec sa mère et sa tante, comme s'il était né de rien ni de personne (Sylvie pique du nez pendant ce temps). La tante semble étonnée (c'est rare, car elle est le genre de personne à prévoir toutes les parades d'avance). Elle me dit qu'elle a mis le père à la porte (?). Au bout de quelques secondes, nous comprenons toutes (la tante, l'assistante sociale et moi) que la tante pensait que je parlais du père de son enfant à elle (âgé de un an) ! Alors que — et l'assistante sociale me confirme ce point en sortant de la chambre — j'avais en fait bien demandé qui était le père du bébé de Sylvie. La tante semble avoir fait un beau lapsus. Quel en est le sens ?

Parmi les rumeurs, il en circulait une selon laquelle le père du bébé de Sylvie était le « jules » de la tante. Le frère de cette dernière était aussi soupçonné. Il se pourrait bien que l'un d'eux soit le père du bébé, et non le jeune homme censé avoir escaladé la fenêtre au temps où elle était séquestrée, comme me l'avait raconté Sylvie quelques semaines plus tôt ! Peut-être avait-elle été séquestrée, mais par sa tante, qui l'aurait éventuellement fait venir du Togo pour son « réseau »...

Cette affaire relève désormais des services sociaux, de la justice et de l'Aide sociale à l'enfance. Je me borne à dire fermement à la tante qu'il faut impérativement que Sylvie soit suivie sur le plan psychologique dès la rentrée. Voyant que je change de registre et que j'arrête de « me mêler de ce qui ne me regarde pas », la tante, avec un grand sourire, me répond que l'idée que sa nièce fasse une psychothérapie avec moi est excellente, et qu'elle va prendre dès aujourd'hui le premier rendez-vous possible à mon retour de vacances, dès que la jeune mère sera reposée...

En sortant de la chambre, nous faisons un rapide bilan, l'assistante sociale et moi. À l'évidence, la tante a trop facilement acquiescé à ma proposition et il y a peu de chances que Sylvie vienne jamais à un quelconque rendez-vous avec moi ! L'assistante sociale se dit très frappée par la tristesse de la jeune fille et par la mélancolie profonde qu'on lit dans ses yeux. Le reflet d'un secret de filiation sans doute non partageable...

Je n'ai, comme prévisible, pas revu — pour l'instant — Sylvie. Le juge a ordonné une mesure d'assistance éducative en milieu ouvert (AEMO) qui a été mise en place très rapidement, au soulagement général. Un éducateur vient donc au domicile de la tante et suit la jeune mère. Cette dernière se sent sous surveillance. Arrivera-t-elle néanmoins à ne pas se laisser manipuler, à trouver une place de mère ?

Trois mois plus tard, nous apprendrons que les deux bébés (celui de la tante et celui de la nièce) vont dans deux crèches différentes... et que les choses se passent plutôt bien.

Histoire de Véronique
(s u i t e)

L A FAMILLE de Véronique m'attend au grand complet : elle-même, ses grands-parents, sa cousine germaine (fille du frère de son père, quinze ans) et son cousin germain (fils de la sœur de son père, quatre ans). Les trois cousins sont donc les trois petits-enfants de la grand-mère présente. J'apprends à cette occasion que les deux filles, Véronique et sa cousine, qui sont presque du même âge, ont été pratiquement élevées ensemble par la grand-mère. Caroline, la cousine de quinze ans, avait l'habitude de venir tous les soirs après l'école et durant les week-ends chez ses grands-parents.

Dans l'immédiat, Véronique m'explique que le pro-blème impératif est de garder le secret vis-à-vis de sa cou-sine sur ce qui s'est passé. Selon la version qu'on lui a donnée, en effet, ils sont venus aujourd'hui à l'hôpital pour une consultation de gynécologie banale pour la jeune fille. Lourd secret qui sépare ces deux gamines... Véronique semble aller bien, elle est souriante, me parle de « tout ce qui s'est passé » de manière mature et natu-relle, disant que cela a été pour elle un tournant dans sa vie et que cela va peut-être lui permettre de « repartir du bon pied ». Elle dit s'être sentie très bien soutenue par l'équipe ; elle a apporté des lettres de remerciement pour tout le monde et embrasse les infirmières de l'étage. Les grands-parents aussi tombent dans les bras des aides-soi-gnantes et des infirmières présentes. Que peut bien pen-ser la jeune cousine de toutes ces effusions ?

En attendant la rentrée, Véronique travaille dur son programme scolaire pour se mettre à niveau pour la classe de quatrième en section générale. À part cela, elle a passé une bonne quinzaine avec sa cousine ; elles ont joué à « Un, deux, trois, soleil », et, le soir, au Monopoly. Occupations de leur âge... Rassurant (?).

Mais je suis soulagée de voir qu'il n'existe pas de déni chez elle sur cet accouchement : elle m'en parle sans peur ni gêne. Le contraste reste impressionnant entre son âge, son apparence, son raisonnement de gamine et ce qu'elle a vécu. Elle me dit avoir rendez-vous, début septembre, avec le psychiatre de l'hôpital qui nous l'avait envoyée.

Je vois ensuite longuement les grands-parents qui ont demandé à me parler sans Véronique. Ils semblent fatigués ; soulagés aussi, sans doute. Mais ils ne vont peut-être pas si bien que cela, surtout la grand-mère. Elle me dit que sa petite-fille a été très agressive avec elle ces derniers jours et qu'elle-même a mal supporté cette attitude. Elles en ont parlé depuis, et cela va mieux maintenant. Elle me dit aussi qu'elle a fait des cauchemars qui mettaient en scène l'accouchement...

Les grands-parents expriment tous les deux, une fois encore, leur culpabilité de n'avoir pas pu garder et élever ce bébé. Mais c'était impossible et cela aurait été nocif pour Véronique. Ils ont bien fait de penser d'abord à elle, et non à eux. Si responsabilité il y a, disent-ils, c'est à eux de la porter. Ils acceptent avec chaleur la proposition que je leur fais de revenir me voir s'ils le souhaitent.

Il faut sans doute essayer de ne pas contribuer à un transfert massif de culpabilité de Véronique à sa grand-mère : les dettes inextinguibles peuvent constituer un poison à long terme qui se distille lentement sur plusieurs générations. Pour ce faire, une attitude préventive serait souhaitable : penser aux enfants et aux petits-enfants de Véronique (c'est l'éthique de la responsabilité devant les générations suivantes, thème développé par le philosophe Hans Jonas). Il ne faudrait pas ranger dans le placard des secrets de famille, le fantôme d'une grand-mère sacrifiée, d'un personnage qui aurait expié pour que les autres vivent.

Les grands-parents ont écrit deux mois plus tard une lettre de remerciement au chef de service et une autre à toute l'équipe, disant à quel point ils s'étaient sentis soutenus et aidés.

Un mois après, j'ai vu le pédopsychiatre de l'hôpital qui nous avait envoyé Véronique. Il la revoit. Elle semble aller bien. Nous épiloguons ensemble sur cette histoire exceptionnelle et, néanmoins, emblématique.

Histoire de Nour
(suite)

J'AI UN COUP DE FIL de l'assistante sociale de Nour m'expliquant que la décision du tribunal concernant sa demande d'asile sera rendue dans trois semaines. À la demande de la travailleuse sociale et de l'avocat, je rédige un document, à l'usage du tribunal, décrivant son état psychologique. Nour vient le chercher. Elle est mal aujourd'hui. Elle se serait battue la veille avec un réfugié du Kosovo au foyer. De plus, il semble que le cuisinier ait tenté de la violer ! Le scandale aurait été étouffé par le directeur du foyer...

Une psychiatre du Centre Primo-Levi (qui s'occupe de la réinsertion des victimes de la torture) me téléphone. Elle me dit que Nour lui a été adressée (plusieurs thérapeutes anglophones exercent dans ce centre) pour qu'elle puisse voir quelqu'un pendant mes absences, mais que la jeune fille est très accrochée à moi et que cela ne lui semble pas possible de lui proposer une autre prise en charge sur le plan psychologique. Elle profite du coup de fil pour me dire qu'elle s'étonne que Nour, séropositive depuis plus de un an, ne reçoive aucun traitement... Moi aussi...

J'organise donc un rendez-vous (lettre à l'appui) avec un médecin de la Maternité pour faire suivre Nour sur ce plan. Elle y va, accompagnée de son assistante sociale, mais on lui répond qu'à partir du moment où elle n'est pas (plus) enceinte et qu'elle ne veut pas l'être[21], elle n'a rien à faire dans le service ! L'assistante sociale me dit qu'il vaut sans doute mieux prendre rendez-vous avec

---

21. On lui a demandé, me rapporte l'assistante sociale : « Avez-vous un désir d'enfant ? » Question proprement hallucinante dans le contexte !

quelqu'un du « bon service », c'est-à-dire du service des maladies infectieuses... Remballant une vive contrariété, je lui demande de s'en charger ; ce qu'elle a fait. Quelques semaines plus tard, Nour y est remarquablement bien reçue ; elle y est toujours suivie.

La question linguistique a sans doute pesé aussi dans ces tribulations : les Français ne sont pas spécialement anglophones ! Nour n'a eu l'aide d'un interprète qu'au tribunal. En outre, elle ne fournit pas beaucoup d'efforts pour se faire comprendre : elle parle un anglais châtié d'Oxford, mais à toute vitesse et d'une voix sourde.

UNE FAUSSE COUCHE ET APRÈS ?

(histoires de Mme Marec
et de Mme Pottier)

L ES DEUX RENDEZ-VOUS suivants sont des patientes qui font des fausses couches à répétition. Elles me sont adressées toutes les deux par un médecin de l'équipe, spécialiste connue de l'immunologie de la reproduction. Cela lui vaut un échantillon de cas compliqués qui viennent parfois de loin.

La première des deux, Mme Marec, jeune femme blonde et charmante, est officier de police de son état. Je l'ai déjà vue une fois ; elle en est à sa septième fausse couche.

La seconde, Mme Pottier, jeune femme brune un peu revêche, secrétaire de direction, en est, elle, à sa huitième fausse couche.

Dans les deux cas, ces fausses couches ont eu lieu presque au même moment, à la septième semaine de grossesse. Les hypothèses médicales sont complexes, les traitements aussi. Quoi qu'il en soit, ces femmes éprouvent une grande souffrance et une angoisse importante ; en général, elles ont besoin d'un soutien psychologique, voire affectif, de l'équipe.

L'immunologue et moi-même avons essayé de mettre en place ce que certaines équipes anglo-saxonnes et nordiques — norvégiennes en particulier — appellent le « programme TLC » *(Tender-Love-Care)*, c'est-à-dire une prise en charge de ces patientes par l'équipe avec compassion et attention chaleureuse. À l'expérience, cette prise en charge s'avère très efficace, même en termes de poursuite de la grossesse[22].

Ces deux patientes relèvent bien de cette indication. Elles n'ont pas de véritable demande de compréhension psychologique de ce qui leur arrive (elles pensent d'ailleurs, le plus souvent, qu'il n'y a rien à comprendre, que c'est purement organique). En revanche, elles ont une demande de soutien, de parole, de mise en mots, en lieu et place de la seule lecture clinique des taux hormonaux (ils chutent, et c'est alors la découverte des saignements ou de l'hémorragie).

Mme Marec, toujours souriante, mais un peu triste, me parle (très bien) de ses vacances, de son désir de reprendre des études d'histoire de l'art et des cours de dessin, ce qu'elle avait fait pendant deux ans. Mais, avec un DEUG d'histoire de l'art en poche et la nécessité de gagner sa vie, elle a dû présenter les concours administratifs (poste, EDF, armée, police, etc.).

Malheureusement, dit-elle, elle a été reçue seulement

---

22. Les publications internationales montrent, après des études en double aveugle, que les patientes qui font des fausses couches à répétition et qui bénéficient du seul programme TLC, avec un traitement placebo, ont autant de chances de poursuivre une grossesse que celles qui bénéficient d'un traitement médical sophistiqué. On peut se reporter à B. Stray-Perdersen, « Une nouvelle approche des fausses couches à répétition », *in* « L'Enfant pendant la grossesse », *Cahiers de l'AFREE*, n° 10, Montpellier, juin 1996.

dans la police ! Après, ç'avait été l'école de Police, des années très dures (elle était antisportive, ne savait même pas nager à l'époque). Maintenant, ça va, elle a épousé un colonel de gendarmerie et travaille à Paris, ce qui lui permet de continuer à dessiner des statues dans les musées. Mais l'absence d'enfant la rend très triste et la marginalise dans ce milieu où tout le monde a l'air de procréer bon train. Les fausses couches surviennent, en outre, très brutalement, et il lui est arrivé de devoir quitter son commissariat en catastrophe pour partir à l'hôpital, son uniforme plein de sang...

Elle apprécie beaucoup nos entretiens (un par mois environ), bien qu'elle répète à chaque fois qu'elle n'a rien d'intéressant à dire. Mais je lui dis que c'est intéressant ; et, de fait, ça m'intéresse.

La jeune femme suivante, Mme Pottier, « secrétaire-de-direction-stressée », vient me consulter pour le même problème (huit fausses couches survenues à sept semaines de grossesse). Je l'ai déjà vue deux fois. Elle m'annonce sans ambages qu'elle est maintenant enceinte de cinq semaines : elle m'apporte l'échographie, les taux hormonaux, etc. Elle est très contente, d'une sorte de contentement de quelqu'un qui a réussi son coup (le compte rendu échographique indique d'ailleurs : « Rapport unique le 15 août »). « Ça a été le bon », me dit-elle avec un grand sourire.

Elle abrège elle-même la séance, disant qu'elle est maintenant très occupée, et m'indique qu'elle reprendra rendez-vous avec moi seulement si ça ne va pas. Mais en tout état de cause, elle pense ne plus avoir besoin de moi (cela montre, par parenthèse, la confiance qu'elle a dans le fait que « c'est bien parti » et que ça[23] tiendra)... Elle se lève et, sur le pas de la porte, me lance : « Si c'est grâce

---

23. C'est le « ça » groddeckien, bien sûr, particulièrement signifiant dans ces conceptions recherchées à tout prix. Cf. *L'Enfant à tout prix*.

à ces entretiens que ça a marché, je vous en remercie ; mais si ça n'a rien à voir, ç'a été en tout cas très positif pour mon mari qui a apprécié que, depuis que je déverse mes aigreurs sur vous, je lui prenne moins la tête à lui parler de tous ces échecs » *(sic)*.

Je réprime un sourire intérieur et offre mon visage le plus neutre. J'apprendrai, fin octobre, que la grossesse de cette dernière patiente se passe tout à fait normalement.

In petto, je me dis :

1. qu'il ne faut jamais se prendre, soi et la qualité de son travail, trop au sérieux ; les patients ne se rendent pas forcément compte de ce qu'on leur apporte ;

2. que dans ce type de travail (psychothérapie, dite de soutien), on ne sait jamais exactement ce qui fait que cela marche et comment cela marche.

Bonne leçon d'humilité thérapeutique [24].

Deux mois plus tard, ces deux tableaux se sont confirmés. La jeune femme policier n'est toujours pas enceinte et n'est pas près de l'être. Le médecin lui a en effet conseillé de prendre une contraception jusqu'à ce qu'on ait trouvé un début de traitement pour son pro-blème immunologique complexe (et banal en même temps) : elle serait « embryo-toxique », c'est-à-dire toxique pour son propre embryon. D'où les fausses couches... Ce diagnostic lui a été expliqué avec nuances, évidemment ; il ne s'agit pas ici d'induire une auto-inter-prétation de type « psychanalyse de bazar » chez cette patiente ! Le soutien psychologique doit être en demi-teinte également.

---

24. Comme pas mal de collègues (femmes ?) qui travaillent depuis longtemps dans ce domaine, je me souviens de nombreux rendez-vous uniques chez des femmes depuis longtemps stériles qui « déclenchaient » la survenue d'une conception. Quand j'étais jeune et pleine d'ubris, je me disais, en plaisantant sur moi-même, que dès qu'elles me voyaient, les femmes « tombaient enceintes » et que je devais avoir un don spécial hérité des mes origines mayennaises où il y a pas mal de sorcellerie (encore à l'heure actuelle).

Quant à Mme Pottier, la secrétaire de direction stressée, sa grossesse tient, comme prévu. Elle n'a, c'est sûr, aucun besoin de me revoir... Bon vent à l'enfant de l'unique coup !

HISTOIRE DU QUATRIÈME ENFANT
DU COUPLE NIAGO, STÉRILE

« IL FAUDRAIT VOIR cette patiente en urgence », me dit la surveillante. Mme Niago, d'origine guadeloupéenne, âgée de quarante et un ans, arrive en demandant une interruption volontaire de grossesse. Elle est encore dans les délais légaux, me dit-on ; il faut donc la voir rapidement.

Son histoire est la suivante : cette dame et son mari ont eu une première série de fécondations *in vitro* il y a quatre ans, le couple étant considéré comme stérile. Mme Niago ayant les trompes bouchées, elle a subi une plastie tubaire[25] ; M. Niago, de son côté, a un très mauvais spermogramme. Après deux fécondations *in vitro*, sa femme a été enceinte de triplés, et trois garçons (âgés de quatre ans maintenant) sont nés. Dix-huit mois plus tard, le couple est revenu pour une nouvelle fécondation *in vitro* : un quatrième (beau) garçon est né. Mme Niago reproche néanmoins à l'équipe de n'avoir pas pu lui « faire une fille ».

Et voilà que cette patiente se présente à la consultation, enceinte spontanément[26], et dit qu'elle ne veut pas garder le bébé ! Elle se trouve trop âgée (avec les risque de triso-

---

25. Opération de chirurgie réparatrice sur les trompes.
26. Après, par conséquent, dix ans de stérilité traitée par médicaments, chirurgie, FIV.

mie que cela comporte) et ne peut gérer, nous dit-elle, cinq enfants rapprochés...

Réactions vives des différents membres de l'équipe sur deux modes. Soit : « C'est scandaleux, elle ne sait pas ce qu'elle veut, d'autant qu'elle et son mari travaillent et disposent d'un logement suffisamment grand. » Soit : « C'est scandaleux de la part du corps médical de faire des fécondations *in vitro* à des couples non stériles. » Ou encore : « On aurait pu leur dire qu'il y avait un risque de grossesse. » Toutes réactions frappées au coin du bon sens.

Quid de Mme Niago ? Quand je la vois, elle se débat dans les affres d'une situation très angoissante. C'est d'autant plus difficile que son mari, qui la laisse libre de sa décision, lui a cependant annoncé qu'il était contre l'avortement. Surtout dans le cas présent où, pour la première fois, dit-il, il fait un enfant lui-même... Remarque importante et intéressante de ce père, reçue « cinq sur cinq » par son épouse : elle m'explique qu'elle a eu, en effet, un enfant d'un premier mariage à l'âge de vingt ans (elle sait donc, elle, qu'elle peut procréer) et que son mari actuel a toujours eu plus ou moins l'impression que les enfants n'étaient pas de lui. La fécondation *in vitro*, en effet, n'est pas un procédé très naturel et laisse des doutes, surtout peut-être pour un homme antillais[27].

Mme Niago m'explique très bien, d'autre part, que ce qui la bouleverse ici, c'est le sentiment d'avoir été manipulée par les médecins : on lui a dit qu'elle était stérile, elle a dû subir pendant des années des traitements lourds et éprouvants. Et maintenant qu'elle a fait son « plein » d'enfants et qu'elle a d'autres projets dans la vie (notamment professionnels), elle ne supporte pas d'être le jouet d'un destin qu'elle n'a pas choisi. Cela fait quinze ans qu'elle ne prend pas de moyens contraceptifs sans avoir jamais été enceinte, et on ne lui a jamais dit, après les

---

27. Voir l'histoire du couple Varenne, p. 51.

fécondations *in vitro*, qu'il y avait le moindre risque de grossesse...

Mme Niago est une femme extrêmement réfléchie, rationnelle, énergique. Elle a désormais l'impression que sa vie bascule dans le « n'importe quoi » ; que son destin, laborieusement construit (elle a, en particulier, très bien géré la grossesse et la naissance des triplés en même temps que sa vie professionnelle), va devenir celui d'une mère au foyer jusqu'à ce que le dernier soit grand et qu'elle-même soit vieille ! À ma question de savoir si l'idée d'une fille ne l'aide pas un peu à prendre une décision, elle répond que tout cela est fini pour elle et que, si elle le garde, elle se fiche complètement que ce soit une fille ou un garçon. Ce qu'elle ne supporte pas, c'est l'idée d'un enfant presque « fait dans son dos » et qu'elle n'ait eu aucune part dans une décision pourtant tout ce qu'il y a de vitale et de personnelle.

C'est une analyse que je ne peux pas ne pas trouver extrêmement pertinente ! La souffrance de cette mère fait peine à voir, d'autant qu'elle me dit en pleurant qu'elle aime les enfants et que l'idée de l'avortement lui répugne.

Au cours de l'entretien, j'essaie de l'aider à y voir plus clair ; en reprenant sa façon à elle de concevoir les choses, c'est-à-dire en partant de la souffrance causée par la blessure narcissique que représente cette perte de maîtrise dans un domaine qu'en toute honnêteté, elle pensait maîtriser.

J'ai su qu'ultérieurement Mme Niago avait finalement renoncé à l'interruption volontaire de grossesse. Cet entretien lui a peut-être permis de reprendre à son compte ce qui lui arrivait, de « récupérer le contrôle des opérations », et, au bout du compte, de pouvoir décider elle-même, et sans pression d'aucune sorte, de garder cette grossesse.

FAIRE MIEUX QUE SA MÈRE ?

(histoire de Mme Soulié)

O N ME SIGNALE une patiente hospitalisée après la mort, *in utero*, d'un fœtus de vingt-quatre semaines atteint d'une malformation cardiaque décelée lors d'une échographie. On avait alors procédé à une cordocentèse (ponction de sang fœtal). Une interruption médicale de la grossesse avait été envisagée au cas où la malformation cardiaque aurait été associée à d'autres problèmes. Mais le bébé était mort avant même que la décision ait pu être prise (à la suite de la cordocentèse [28] ?). La patiente était donc arrivée en urgence, ayant réalisé que son bébé ne bougeait plus.

Mme Soulié est une femme intelligente et instruite. Elle est infiniment triste, mais supporte avec calme et dignité ce qu'elle vit à la fois comme une injustice et comme une répétition du destin. Sa mère, me dit-elle, avait en effet perdu son premier enfant — un garçon — avant la naissance (c'était en 1954, elle-même est née vingt ans après ce frère). Sa mère lui avait souvent parlé de ce frère, le nommant par son prénom. Était-ce impossible pour Mme Soulié de faire mieux que sa mère, avec laquelle elle avait une relation très proche, et qu'elle avait soignée avec dévouement tout au long de la maladie dont elle est morte il y a cinq ans ?

Ce deuil avait été d'autant plus douloureux, semble-t-il, qu'il s'était accompagné d'une brouille familiale : sa sœur

---

28. Les risques de provoquer un accouchement, donc une mort fœtale, sont de 3 % pour la cordocentèse, et de moins de 1 % pour l'amniocentèse. Ces risques sont, en principe, bien expliqués aux parents.

aînée, célibataire et assez fragile psychiquement (infirmière psychiatrique dépressive et hystérique que Mme Soulié me décrit comme le personnage de Miss Fletcher dans le film *Vol au-dessus d'un nid de coucou*), s'est appropriée cette mort, la « cultivant » de façon morbide. Au point que les sœurs ont cessé de se voir et même de se parler au téléphone. Ladite sœur (quarante ans) vit avec le père, veuf, qu'elle a également accaparé, le coupant de ses autres enfants (deux frères plus âgés, mariés avec famille).

Cet éclatement familial rend Mme Soulié seule, sans liens familiaux réels : elle n'a pu dire à personne ce qui lui arrive ; personne de sa famille n'est même au courant de sa grossesse. Son couple et sa vie amicale paraissent, eux, en revanche, très solides.

Je revois cette patiente le lendemain de l'accouchement qui s'est plutôt « bien passé » : elle a vu le bébé qu'elle a trouvé très mignon et très bien fini (la malformation, s'il y en avait une, était invisible). Ce qui la fait beaucoup souffrir actuellement (physiquement et moralement) est sa montée de lait : ses seins sont énormes et « pissent le lait », en dépit du traitement énergique qui lui est donné pour « le faire passer[29] » et qui va durer trois semaines.

Fonctionnement étonnant du corps maternel qui ne « veut pas savoir » qu'il n'y a plus de bébé[30]...

---

29. Ces expressions familières, très signifiantes, sont celles que tout le monde emploie. La première renvoie à l'équivalence, dans l'inconscient, des liquides et des orifices. La seconde à celle des objets partiels (fœtus, lait) : faire passer le fœtus (avorter) ou faire passer le lait (arrêt de la lactation).
30. Je me souviens de certaines mères qui, dans des circonstances analogues, donnaient leur lait au lactarium (banque de lait) « pour sauver des prématurés », disaient-elles.

SURVIVANT D'UNE GROSSESSE TRIPLE

(histoire de Mme Bernard)

M ADAME BERNARD, jolie jeune femme âgée de trente-deux ans, a rendez-vous pour une consultation en binôme avec le pédiatre et moi-même. En fait, pour des questions d'horaires, je la vois d'abord longuement avec son fils Alexandre, né il y a quatorze mois ; ensuite seulement avec le pédiatre qui dirige l'unité des prématurés et qui a veillé au destin d'Alexandre depuis le tout début.

Cette patiente est une ancienne connaissance pour toute l'équipe. Elle a en effet passé une bonne partie de sa grossesse précédente hospitalisée dans le service, en menace d'accouchement prématuré. Je l'avais alors, comme de nombreux autres intervenants (sages-femmes, pédiatre, infirmières), accompagnée pendant de longues semaines jusqu'à l'accouchement. Mme Bernard était enceinte de triplés à la suite d'une fécondation *in vitro*.

Mais la grossesse s'était mal passée dès le début (menace de fausse couche). À partir du cinquième mois, les choses avaient viré au cauchemar : le premier triplé était mort, il était resté, nécrosé, dans l'utérus jusqu'à l'accouchement. Le mois suivant, le second bébé était mort. Quant au troisième, Alexandre, il avait risqué le même sort : il était finalement et heureusement né ; très prématuré cependant (neuf cent cinquante grammes). Il avait ensuite passé trois mois dans une unité spécialisée de néonatalogie.

C'est avec Alexandre, qu'elle appelle « le survivant », « le miraculé », que Mme Bernard vient aujourd'hui. Ce petit garçon, âgé de quatorze mois, est éclatant de santé et de vivacité ; une vraie publicité pour le devenir heureux de la prématurité ! Les deux bébés morts (Achille et Hélène) ont été inhumés dans le caveau familial maternel.

Je ne peux relater ici les nombreuses péripéties, du tragique au comique — en passant par le tragi-comique —, qui avaient émaillé les quelques mois de l'histoire de la grossesse de Mme Bernard dans le service. Des relations très fortes s'étaient, en tout cas, nouées entre elle et nous : elle connaît les prénoms de toutes les sages-femmes et infirmières. Et, quand j'arrive au rendez-vous, je la trouve en conversation animée avec le personnel de l'étage...

Son mari est, lui aussi, bien connu de l'équipe : il arrivait en ambulance, non à cause de l'urgence, mais parce qu'il était ambulancier de son métier ! Les familles des deux côtés étaient également assez folkloriques et intéressaient les ethnologues en herbe du service ; elles ne cessaient de se renvoyer « à la figure » des reproches fondés sur l'obscurantisme réciproque des cultures d'origine de chacun (du côté de la mère, on est italien, et du côté du père, portugais). Ces débats avaient été, en permanence, alimentés par les questions graves qui s'étaient posées : statut des fœtus morts dans le ventre de leur mère, baptême, inhumation, autopsie, etc.

Alexandre est un petit garçon très vif, très en avance sur le plan psychomoteur. Je le nomme, mentalement, « Sur le pont ». Il l'est d'ailleurs tellement qu'il pose à ses parents un problème qui épuise la mère et irrite beaucoup le père : il dort excessivement peu, exige la présence de sa mère pendant la période d'endormissement ; et, quand il se réveille — au bout de deux ou trois heures —, il n'accepte de se rendormir qu'avec sa mère, de préférence couché sur son ventre ! On lui donne un sirop qui s'avère d'une efficacité faible...

Après nous être extasiés devant Alexandre qui nous a fait une démonstration brillante de tout ce qu'il savait faire, nous parlons beaucoup, dans la consultation avec le pédiatre, de ce problème de sommeil. Il en ressort que

111

Mme Bernard ne quitte guère son fils, de jour comme de nuit : elle a toujours « un œil sur lui ». Cela semble d'ailleurs réciproque...

Une tante paternelle bien intentionnée a dit à sa nièce de faire boire à Alexandre de l'« eau de Fatima » pour faire passer l'insomnie. D'après elle, cette insomnie serait due au fait qu'Alexandre serait « habité par d'autres »... Cette remarque a été immédiatement suivie d'un refus scandalisé de la famille maternelle, ce qui a fait repartir la guerre de religions et superstitions italo-portugaises ! Et pourtant, cette interprétation ethnopsychanalytique, donnée par quelqu'un de la famille, appartenant à la même culture, était loin d'être si gratuite[31] !

L'autre problème, dit Mme Bernard, est la question de l'enfant suivant : le médecin qui a fait les fécondations *in vitro* (dans un autre hôpital) la « relance » à propos des embryons congelés surnuméraires du couple (il y en a quatorze !), et les engage à ne pas attendre trop longtemps... On leur a proposé également de donner des embryons à un autre couple, ce qui les a totalement horrifiés !

Le couple Bernard se demande comment Alexandre va supporter la présence d'un frère ou d'une sœur, lui qui a déjà connu cela *in utero*. C'est, au fond, une sorte d'autorisation de faire une réimplantation d'embryons que Mme Bernard vient nous demander : « Est-ce que je peux être une bonne mère, après ce que j'ai vécu et ce que j'ai fait vivre à mon fils ? »

Un mois plus tard, Mme Bernard arrive, souriante, m'annonçant qu'on lui a replacé deux embryons, qu'elle est donc enceinte de jumeaux. La nouvelle fait instantanément le tour du service : « Nous voilà repartis pour un tour ! » Quant aux problèmes de sommeil d'Alexandre, ils s'arrangent un peu, me dit sa maman.

---

31. Tout le contraire, par conséquent, d'une interprétation « sauvage », pourtant très à la mode ces temps-ci...

Mme Bernard me rappelle au début du mois suivant parce qu'elle a manqué un rendez-vous : tout va bien, me dit-elle, sauf qu'il y a eu un gros incident au cimetière, au moment de la Toussaint. Alexandre refusait de partir, très occupé à nettoyer, avec son petit balai, la tombe de son grand-père et également de ses frères et sœurs... C'est sa grand-mère (la mère de Mme Bernard) qui est arrivée à l'emmener, bavant de colère. La mère et la fille se sont, en plus, fortement disputées à cette occasion... Sa mère lui a reproché de se laisser contaminer par les superstitions de sa belle-famille (portugaise), en particulier cette manie d'aller au cimetière à tout bout de champ et d'y emmener Alexandre !

Le début de grossesse se passe bien, l'accouchement devrait avoir lieu fin juin. Je dois revoir Mme Bernard et Alexandre dans quinze jours.

Mme Bernard m'appelle en janvier pour me dire qu'elle a fait une fausse couche précoce à la suite de la réimplantation des deux embryons. Mais, après un mois de « repos », l'obstétricien-fiviste qui la suit vient de lui en replacer deux autres. Elle est donc de nouveau en début de grossesse[32]. Elle prend rendez-vous « pour m'amener Alexandre », précise-t-elle. Comme si, d'après elle, c'était Alexandre qui devait davantage être aidé en ce moment. Peut-être a-t-elle raison.

---

32. C'est une grossesse biochimique, stade précédant la grossesse clinique.

LE GARDER OU PAS

(histoire de Mme Makoro)

O N ME DEMANDE d'aller voir Mme Makoro, jeune femme hospitalisée à l'étage des grossesses pathologiques : cette patiente agace tout le monde (médecins, sages-femmes, infirmières) par son comportement. Elle est enceinte de cinq mois et son col est partiellement ouvert : elle devrait donc rester allongée. Or elle fait tout le contraire, me dit-on, comme si elle essayait d'avorter. Elle avait d'ailleurs réclamé avec insistance une interruption de grossesse, mais le délai légal était largement dépassé.

Mme Makoro a trente et un ans ; elle est célibataire, de nationalité camerounaise, et sans papiers. Elle est en France depuis deux ans ; elle vivait avec sa sœur, mais elles se sont brouillées et l'aînée a mis la cadette à la porte. Mme Makoro est donc, pour l'instant, hébergée temporairement par une vague amie.

C'est une femme intelligente, mais totalement paumée : venue en France pour essayer de rattraper son retard scolaire et s'occuper des enfants de sa sœur, elle n'a, en fait, pas dépassé le cours élémentaire. Rien, à l'évidence, ne s'est passé comme prévu, la grossesse pas plus que le reste.

Mme Makoro me dit qu'elle ne veut absolument pas de cet enfant ; elle dit ne pas avoir été au courant des délais légaux d'interruption volontaire de grossesse en France et ne pas avoir remarqué sa grossesse plus tôt parce qu'elle avait ses règles normalement [33]. Le bébé bouge en

---

33. Très nombreuses sont les femmes qui s'expriment ainsi et se trouvent ainsi piégées par une grossesse non voulue.

114

elle. Elle est très mal. J'évoque l'adoption : elle me dit qu'elle ne sait pas si elle pourrait s'y résoudre, une fois qu'elle aurait vu le bébé après l'accouchement. Maintenant, elle pourrait à la rigueur « le faire passer » parce qu'elle ne l'a pas vu ; mais après, me dit-elle, elle aurait toute sa vie le visage du bébé devant les yeux.

Parler lui fait du bien : cela l'aide-t-il à se mettre au clair avec son ambivalence ? Peut-être. Elle apprécie le fait qu'on s'adresse à elle comme à une personne humaine, avec sa souffrance ; et pas seulement comme à une « tueuse » ou à une « emmerdeuse ».

LE GROUPE DE PAROLE SUR LE DEUIL PÉRINATAL

C E GROUPE se réunit une fois par mois, le soir : c'est un groupe de rencontre, du type « self-support [34] », entre des parents qui ont vécu un décès périnatal ou un arrêt de grossesse.

Il y a, ce soir-là, une discussion assez vive et passionnée avec une patiente, Mme Thévaz, une jeune femme suisse qui récuse le mot « accouchement » pour la description de ce qui se passe quand on décide d'arrêter la grossesse dans le cas d'un bébé malformé ou handicapé (son histoire à elle est une décision d'interruption de la grossesse à la découverte de la trisomie de son bébé). Elle et son mari sont des intellectuels qui semblent avoir gravement culpabilisé à la suite de cette décision. Dans ce type de cas (tel celui de la trisomie) le bébé est, en effet, tout à fait viable. Quel mot est le plus approprié pour cette « interruption » de grossesse ? Mme Thévaz revendique avec

---

34. À la manière des groupes d'alcooliques anonymes (AA), ou des « weight watchers ».

véhémence le mot « avortement » (même à six mois de grossesse). Est-ce le reflet de sa culpabilité personnelle ?

Les mères, dans l'ensemble, souscrivent assez volontiers, dans ce cas, au mot « accouchement », terme qui, s'il est bien présenté et expliqué, va à l'encontre du déni habituel de la présentation de l'interruption médicale de la grossesse, déni revenant à faire comme s'il avait fallu, de toute façon, et de manière obligatoire, arrêter la grossesse. Alors qu'au contraire, il s'agit toujours d'un choix ; du moins mauvais choix possible, certes (éthique du moindre mal), mais d'une décision de ne pas laisser la grossesse se poursuivre, ni le bébé continuer à vivre.

Un déni pèse également, la plupart du temps, sur une autre question : Comment va-t-on sortir le bébé ? Les mères pensent souvent qu'on va les anesthésier ou les opérer. Et ne sont guère prêtes à affronter un long et pénible travail d'accouchement (qui peut durer plusieurs jours) ; accouchement paradoxal s'il en est qui, au lieu, en effet, de se terminer par la vie, se termine par la naissance d'un bébé mort et qui est, dans certains cas[35], considéré comme un « rien » au regard de la société.

Le mot « accouchement » a le mérite de décrire le processus physiologique (les contractions, la dilatation, l'expulsion) ; et cela, même si la fin de ce processus n'est pas « normale ». Les mères se sentent en général reconnues, même valorisées par ce terme, qui les crédite au moins de ce temps d'épreuve et de souffrance. Ce moment n'est plus alors considéré comme un temps qui n'a servi à rien ; comme un échec brut et dénué de sens.

Une autre participante de ce groupe, Mme Vinet (venue avec son mari à une réunion précédente), vient, quelques jours plus tard, me dire qu'elle a très mal supporté la réflexion du père d'un bébé (mort *in utero* quelques jours avant la naissance, de manière accidentelle par consé-

---

35. Cf. les diagrammes en annexe, p. 223.

quent). Ce père, au cours du groupe de parole, s'était adressé à elle en disant : « Comment avez-vous pu choisir de donner la mort au lieu de donner la vie ? » Il exprimait sans doute par là (de manière très maladroite) que sa femme et lui n'avaient pas choisi de faire mourir leur bébé, car « la nature » s'était chargée des choses. En revanche, d'autres parents — ceux qui ont un bébé trisomique ou atteint d'une malformation, tel le couple Vinet — « choisissent », eux, d'interrompre la grossesse. Ce qui choquait ce père.

Mme Vinet et son mari (dont le bébé était atteint d'une grave malformation nerveuse qui touche la colonne vertébrale, nommée *spina bifida*) pensent, pour leur part, que ce type de décision est terrible à prendre et que le jugement de ceux à qui l'épreuve du choix a été épargnée ne peuvent pas le comprendre.

Cette patiente suggère donc que nous organisions deux types de groupes de parole : l'un pour les parents dont le bébé est mort accidentellement (mort fœtale *in utero*), l'autre pour les parents pour lesquels la grossesse a été interrompue à la suite d'une décision parentale et médicale.

Je lui dis que nous réfléchirons en équipe à cette suggestion. Mais l'idée de départ de ce groupe était précisément que les parents ayant expérimenté une épreuve rare et généralement indicible (bébé mort avant la naissance, grossesse interrompue en catastrophe, questions concernant le devenir du corps du fœtus, deuil, enfin, difficilement compréhensible par l'entourage) puissent s'aider entre eux.

Une autre question qui vient souvent dans ce groupe est celle d'essayer de comprendre si le vécu de deuil est différent suivant l'âge de gestation du fœtus ou du bébé au moment de la mort. Avant vingt-deux semaines de grossesse, le fœtus expulsé est, en effet, considéré (dans les textes réglementaires et dans la loi de janvier 1993) comme un déchet ; c'est un produit innommé, un « rien ». Mais quand il pèse plus de cinq cents grammes et que sa mère l'a porté plus de vingt-deux semaines, son décès doit être déclaré (un acte d'« enfant né sans vie » est alors établi) ; les parents peuvent le faire inscrire sur leur livret de famille, à l'instar d'un enfant qui aurait vécu. Il peut aussi être inhumé par les parents[36].

Certains disent que les parents éprouvent des réactions de deuil similaires, quel que soit l'âge du fœtus ou du nourrisson au moment de sa mort. D'autres disent que les douleurs sont plus intenses pour des parents qui perdent un bébé plus âgé (en terme d'âge gestationnel). On peut imaginer que le travail de deuil puisse être différent dans ces deux cas. Mais l'essentiel pour nous, dans ce groupe, est d'être à l'écoute de ce que les parents disent eux-mêmes. On voit bien que la signification de chaque grossesse, de chaque perte, de chaque enfant, est personnelle, propre à l'histoire de chacun. C'est bien là la difficulté de l'accompagnement de ces deuils : il n'existe pas de « protocole standard de prise en charge » de « deuil type ». Heureusement !

Histoire de Mme Makoro
(suite)

JE VAIS FAIRE une visite à la jeune femme camerounaise, Mme Makoro, vue récemment, et qui essayait de « faire passer le bébé ». Changement de décor : elle m'attend dans sa chambre — elle a dit en effet à l'infirmière qu'elle ne voulait plus bouger de son lit pour ne pas risquer de déclencher des contractions. Elle m'accueille

---

36. La loi du 9 janvier 1993 a modifié les règles de déclaration des enfants mort-nés à l'état civil. Cf. *infra*, « La maternité saisie par la médecine et par la loi », p. 187 et ss, et les diagrammes en annexe, p. 223 et ss.

avec un grand sourire et m'informe qu'elle a décidé, après notre entretien de l'autre jour, de tenter de garder le bébé. Elle me remercie de l'y avoir aidée.

Comment expliquer ce changement de réalité psychique ? Sans doute a joué en faveur de cet assouplissement le fait que Mme Makoro ait réalisé qu'il y avait un choix possible autre que celui, douloureux et absurde parce que sans espoir, d'essayer de se faire avorter d'un bébé qui bougeait déjà en elle. L'assistante sociale lui a indiqué les aides dont elle pouvait bénéficier pendant sa grossesse et lui a expliqué la possibilité de faire adopter le bébé si elle décidait de ne pas le garder. Ce qui est peu probable, dit Mme Makoro toujours souriante, l'abandon étant impensable pour une mère africaine... Bref, cette mère a pu accepter l'aide qu'on (l'équipe médicale, la société) lui proposait. Elle est cependant partie en donnant une fausse adresse...

Mais, deux mois plus tard, j'apprends que Mme Makoro est revenue demander des aides sociales pour sa grossesse. La surveillante de la consultation me dit être très contrariée par le comportement de cette patiente : d'une part, parce qu'elle est habillée de façon très — trop — élégante (on la soupçonne donc d'avoir des revenus occultes) ; d'autre part, parce qu'elle raconte *urbi et orbi* qu'elle est suivie par moi, alors que, par ailleurs, sa grossesse n'est même pas suivie sur le plan obstétrical ! Il est manifestement très mal vécu, dans un service de gynéco-obstétrique, qu'une patiente soit suivie seulement sur le plan psy...

Je n'avais pourtant jamais revu cette patiente depuis le moment de son hospitalisation ! Mais il faut croire qu'elle m'avait investie comme un « bon objet » lui « permettant » de garder sa grossesse.

On peut s'interroger, à propos de ce cas et d'autres du même genre, sur le type d'aide, le genre de réponse que la médecine peut fournir, dans la société d'aujourd'hui, à une demande de « non-désir-de-vouloir-garder-une-grossesse », après le dépassement du délai légal d'interruption volontaire de grossesse, quand elle est mise sur le compte d'arguments économiques.

Histoire de Mme Lenoir
(suite)

M ADAME LENOIR a accouché d'une petite fille, Aline, début septembre. Tout s'est bien passé. La maman n'est restée que deux jours à l'hôpital (je n'étais pas présente au moment de son accouchement), car elle avait beaucoup à faire chez elle. Elle a demandé que je lui téléphone ; ce que je fais. Elle me dit que le papa d'Aline — le voisin de palier — s'intéresse au bébé, mais ne l'a pas encore reconnue à la mairie. Son fils de dix ans est très heureux, lui aussi. Elle-même ne prend plus d'antidépresseurs. Elle doit venir me voir avec sa fille la semaine prochaine.

Quel destin aura cette petite Aline « aux deux pères » ?

Mme Lenoir m'appelle début novembre pour me dire qu'elle est débordée et n'a pas tellement le temps de se déplacer. Elle se plaint de son allaitement difficile et de ce que sa fille pleure beaucoup. Mais, sur le plan familial, les choses ont l'air de ne pas trop mal se dérouler. Elle me dit qu'elle viendra me voir dans une dizaine de jours, au moment du rendez-vous de suite de couches (ce rendez-vous a lieu six semaines après l'accouchement).

MOURIR AVANT DE N'ÊTRE

(histoire de Mme About)

N OUS AVONS aujourd'hui une consultation en binôme, le médecin fœtopathologiste et moi-même, à l'occasion de la remise du rapport d'autopsie du bébé de Mme About, une petite fille morte à terme, juste avant la naissance.

J'avais vu plusieurs fois cette patiente lors de son hospitalisation, en juin dernier, avant et après son accouchement. Celui-ci avait été provoqué à la découverte de la mort du bébé *in utero* (arrêt de l'activité cardiaque), au moment de la dernière échographie avant la naissance.

Mme About a quarante et un ans. Elle avait attiré la sympathie et la compassion de toute l'équipe au moment de l'accouchement. Son chagrin était en effet d'autant plus lourd qu'elle avait perdu, dix-huit mois auparavant, une autre petite fille, morte à l'âge de deux ans au cours d'une opération cardiaque compliquée. Mme About et son mari avaient voulu avoir un autre enfant (une fille, si possible) pour « remplacer » la précédente... Mme About a trois fils plus âgés, seize, douze et cinq ans. Seul le dernier est de son mari actuel ; les deux autres garçons sont nés de son précédent mariage.

Nous avions, Mme About et moi-même, beaucoup parlé alors du bébé mort et de la manière de l'annoncer à son dernier fils ; lui aussi attendait de manière d'autant plus anxieuse cette petite sœur qu'il en avait perdu une autre, un an et demi auparavant ; c'était une petite sœur avec laquelle il jouait beaucoup, dit sa maman...

J'avais dit à la mère, comme je le fais en pareil cas, que

les enfants de cet âge (quatre/six ans) ont tendance à se culpabiliser beaucoup de la mort du cadet, comme s'ils en étaient responsables. Ce, en raison des sentiments ambivalents, parfois très agressifs (désirs de mort), qu'ils avaient à l'égard du (de la) futur(e) rival(e).

Mme About attendait les résultats de l'autopsie avec impatience pour avoir une explication sur la cause de la mort de ce bébé. Malheureusement, comme le lui dit le médecin fœtopathologiste, dans deux cas sur trois, on ignore les raisons des morts fœtales *in utero* qui surviennent en fin de grossesse, même après l'analyse du fœtus et du placenta.

C'est le cas pour cette petite fille qui ne présentait aucune malformation et pesait un poids normal ; sa mère l'a d'ailleurs vue à la naissance et l'a trouvée très belle. La sage-femme qui était présente à l'accouchement a indiqué que le bébé avait une circulaire du cordon (le cordon était enroulé autour de son cou) ; mais ce n'était pas forcément la cause de la mort puisque la petite fille était déjà morte depuis quelques jours au moment de l'accouchement.

Mme About s'interroge et nous interroge : le bébé s'est-il étranglé dans son ventre ? A-t-il souffert à ce moment-là ? La mère nous dit qu'elle a senti que les mouvements de son bébé se sont, à un moment précis, ralentis, se sont arrêtés, puis sont repartis faiblement ; et se sont finalement arrêtés... C'est alors qu'elle est allée aux urgences de la Maternité. Si elle était venue plus tôt, aurait-on pu sortir le bébé à temps ? demande-t-elle, effondrée. Elle se pose également de nombreuses questions sur la souffrance du fœtus [37]. Réponse désolée du médecin : « Dans l'état actuel de la science, je ne peux rien vous dire, on

---

37. Les questions des mères sur la souffrance du fœtus pendant l'interruption médicale de grossesse ou juste avant la mort *in utero* sont très fréquentes ; et les réponses médicales sont souvent assez évasives. Cette question préoccupe cependant beaucoup les spécialistes (il existe par exemple un groupe de réflexion sur ce thème à l'hôpital Saint-Vincent-de-Paul à Paris).

n'en sait rien. » Moments très durs... Mme About pleure et demande si l'histoire risque de se répéter à un enfant suivant. « Les risques sont les mêmes, c'est-à-dire faibles », répond le médecin.

Cette mère se pose aussi des questions sur le devenir du corps de son bébé, qu'après hésitation, les parents ont décidé de ne pas inhumer eux-mêmes. Nous évoquons le cimetière de Thiais et lui expliquons alors le « circuit » du devenir du corps des bébés morts dans les hôpitaux de la région parisienne.

L'Assistance publique possède, en effet, une concession au cimetière de Thiais, dans la banlieue sud de Paris. C'est là où vont tous les corps des fœtus et des bébés pour lesquels les parents ne veulent pas — ou ne peuvent pas, la question du coût n'étant pas négligeable — prendre eux-mêmes en charge les obsèques[38]. Cette inhumation est, pour l'instant, anonyme (il n'y a ni tombes ni même un registre). Elle a lieu, en outre, à un endroit du cimetière où sont enterrés les adultes qui ont fait don de leur corps à la médecine, dans le carré n° 102, dit « carré de la science ».

On trouve souvent cependant, malgré — ou à cause de — l'anonymat du lieu, des peluches ou des poèmes mis dans des bouteilles en plastique, telles des bouteilles jetées à la mer... Nombreux sont les parents qui vont se recueillir dans ce cimetière. Certains en reviennent meurtris, glacés par l'aspect sinistre du lieu et par l'absence de trace matérielle de la présence de leur bébé. Quand j'en parle aux parents, je m'efforce par conséquent de bien voir avec eux ce à quoi ils peuvent s'attendre. Comme beaucoup de parents, Mme About est cependant rassurée que son bébé soit inhumé dans la terre, et non brûlé ou jeté avec les déchets.

---

38. Les obsèques sont possibles si le bébé est mort après six mois de grossesse ; elle sont obligatoires si le bébé est né vivant, puis décédé secondairement, et ce, de quatre mois et demi jusqu'à la fin de la grossesse.

Le médecin commence alors à dessiner l'arbre généalogique de Mme About et de son mari, rencontrant quelques difficultés pour ce dernier, absent lors de l'entretien [39] (comme il est d'origine étrangère, sa femme n'a pas de renseignements très précis sur sa belle-famille).

La construction d'un arbre généalogique, classique dans les consultations de conseil génétique, est également très riche d'un point de vue psychologique. Nous l'utilisons fréquemment, dans le travail d'équipe avec le médecin fœtopathologiste, en organisant ces consultations en binôme pour faciliter la prise en charge du travail de deuil des parents qui perdent un bébé avant la naissance. L'histoire familiale des parents qui se déplie, se déploie ainsi, sur plusieurs générations, des deux côtés (maternel et paternel), peut être lue à la manière d'un génogramme, sorte d'arbre généalogique affectif. C'est un fascinant « roman familial [40] », où sont dessinés, mis en scène les fantasmes de filiation, les « trous » dans la généalogie. Les « comptes », les dettes, les répétitions, dans les quatre familles, tant du côté des grands-parents maternels que de celui des grands-parents paternels, apparaissent, presque dessinés.

Cette pratique a aussi le grand intérêt, dans les cas de deuils périnatals, de soulager un peu la culpabilité de la mère qui a toujours plus ou moins l'impression que c'est elle qui a « tué » son enfant, puisque c'est dans son ventre qu'il est mort. L'arbre généalogique fait en effet apparaître, noir sur blanc, que l'histoire du père est aussi importante que celle de la mère dans la « fabrication » d'un enfant.

Dans l'histoire de Mme About, le dessin de l'arbre

---

39. Habituellement, le père est toujours présent dans ces consultations *post mortem*. M. About avait des horaires de travail très particuliers ; c'était la raison de son absence.
40. Ce terme est à comprendre aussi bien dans son sens psychanalytique que dans son acception ordinaire de « c'est un vrai roman ».

dévoile immédiatement que sa propre mère a perdu deux bébés, morts *in vitro* juste avant l'accouchement. Deux garçons, dont un frère, deux ans avant la naissance de Mme About. Sa mère le lui a appris il y a quelques mois, au moment du décès de Sabrine, sa fille. Mme About pensait que sa mère avait perdu deux bébés mort-nés, avant six enfants par la suite (elle est elle-même la cinquième de la fratrie). En réalité, elle a été conçue juste après la mort de ces deux frères... Répétition ? Génétique ? Hasard dans l'histoire de cette mère, de cette famille ? On ne dispose d'aucun élément consistant pour en juger. Cependant, nous utilisons, dans la consultation, la manière dont Mme About nous a apporté ce récit, pour lui montrer qu'on peut avoir un autre enfant bien portant après avoir perdu un bébé *in utero* : qu'elle en est elle-même la preuve vivante ! Cela semble la conforter un peu.

Mais je ne peux pas m'empêcher de penser que, si ce couple décidait d'avoir un autre enfant, il existera un autre risque : étant donné leur âge à tous les deux (quarante et un ans pour la mère, quarante-cinq pour le père), le risque de trisomie ne serait pas négligeable... Comment ce couple supporterait-il une telle épreuve ? Mais mes fantasmes sont peut-être trop noirs en ce moment...

Je revois Mme About trois semaines plus tard. Elle va beaucoup mieux. Elle me parle plus en détails de ses relations avec sa mère, pour le moins mauvaises, de son enfance, pauvre à tout point de vue ; de son premier mariage ; ainsi que de son second mari, l'actuel, tunisien, qui semble tellement mieux que le premier (un Français moyen de la France profonde, pas bien sympathique, d'après la description qu'elle en fait).

Mme About me dit que son mari et elle veulent « mettre un enfant en route » dès que possible. Et qu'elle reviendra me voir quand elle sera enceinte.

Bon vent.

UN DÉFICIT INTERCULTUREL

(histoire du couple Saroke)

M ADAME SAROKE a trente-deux ans. Malienne comme son mari (trente-quatre ans), elle est hospitalisée, enceinte de cinq mois. Leur histoire est la suivante : cette mère était suivie par un médecin de ville, obstétricien d'une clinique voisine. Ce dernier a pratiqué, de manière routinière (ou parce que cette patiente avait trente-deux ans[41] ?), un examen de dépistage de la trisomie, au moyen du dosage de l'HT 21 (dosage sanguin de l'alpha-fœtoprotéine). Le chiffre de l'analyse a « clignoté » légère-ment ; le médecin a alors, en raison du doute sur la normalité du fœtus, décidé d'envoyer ce couple à l'hôpital pour faire pratiquer une amniocentèse.

M. et Mme Saroke ont dit, lors de l'interrogatoire médi-cal, qu'il n'y avait aucun problème de trisomie ou d'ano-malies dans leur famille (le couple a déjà ensemble trois enfants et M. Saroke en a quatre autres d'un mariage antérieur). Mais on leur a expliqué qu'il fallait, de toute façon, faire cet examen. Ils ont donc obtempéré, confiants dans la médecine occidentale. Avant l'examen, ils ont consulté un spécialiste (renommé) de génétique.

Malheureusement, à la suite de l'amniocentèse, Mme Saroke, en rentrant chez elle, a perdu les eaux ; son mari a dû la conduire en urgence à l'hôpital. Or l'absence de liquide amniotique empêche les poumons du fœtus de

---

41. Le couple l'a vécu, rétrospectivement, comme : « Ce sont des Noirs et ils ont déjà bien assez d'enfants comme ça ; et on ne va pas prendre le risque que la Sécurité sociale ait encore à payer la charge d'un enfant mongolien. » C'est la phrase exacte de M. Saroke.

se développer. La situation risque alors de se dégrader, entraînant une mort fœtale *in utero*, et risquant d'engendrer une infection maternelle si on ne déclenche pas l'accouchement rapidement. Mme Saroke a été victime (au sens statistique) d'un des rares accidents de l'amniocentèse (moins de 1 % des cas).

On m'envoie à la rescousse pour essayer de débloquer une situation plutôt mal engagée. Ce couple est figé, muré dans la douleur à cause de ce qui est arrivé. Indigné et scandalisé, également, par le déclenchement annoncé de l'accouchement (dont on leur a dit que c'était la solution la plus raisonnable — en raison des risques d'infection et d'anomalie respiratoire du bébé à la naissance). Mais le déclenchement a été arrêté par le mari à la dernière minute : les deux parents ont dit avec une indignation véhémente qu'ils s'opposaient absolument à ce qu'on fasse naître — c'est-à-dire mourir — le bébé, alors que la maman le sentait bien bouger en elle, ce qui était exact d'après le monitoring.

C'est alors que l'équipe a réalisé que ce couple n'avait pas du tout compris que l'amniocentèse comportait des risques de déclencher une fausse couche... Et surtout qu'on ne leur avait pas demandé ce qu'ils feraient en cas de trisomie ! Or ils n'avaient, on l'a vu (à tort ou à raison, peu importe ici), aucune crainte concernant la trisomie. En outre, étant tous deux très religieux et farouchement opposés à l'avortement, ils avaient dit haut et fort qu'en tout cas, si l'enfant avait un problème, ils l'accepteraient tel qu'il serait...

Quand j'arrive dans la chambre de Mme Saroke, on vient de leur annoncer que le bébé (une petite fille) risquait d'avoir un très grave handicap respiratoire si jamais elle naissait dans quelques semaines ou mois ; et encore, en supposant qu'on puisse prolonger la grossesse quelque temps. Ils ont répondu qu'ils accepteraient leur petite fille telle qu'elle serait et qu'ils voulaient absolument garder cette grossesse ; discours répété sur tous les tons, de manière hostile et vindicative, à l'intention de tous les membres de l'équipe.

M. Saroke « campe » véritablement aux côtés de sa femme ; il vérifie tous les médicaments de la perfusion, nous soupçonnant d'y mettre des produits abortifs ! L'atmosphère est extrêmement tendue : le couple ne veut plus entendre aucune autre explication médicale. Ce qu'ils veulent, c'est que nous gardions la maman à l'hôpital le nombre de semaines (ou de mois) nécessaire, jusqu'à l'accouchement, même si le bébé devait naître prématuré.

Le dossier médical complet est posé sur la table de nuit. M. Saroke se tient debout, là, telle la statue du Commandeur. Il me montre la dernière échographie, datant de quinze jours, qui indiquait que le bébé avait un développement tout à fait normal (ce qui était probablement vrai).

Deux logiques se sont affrontées ici, deux systèmes de valeurs, avec, on peut le regretter, une absence de communication entre les équipes et les parents. De même, le dialogue entre les équipes des deux centres médicaux a sûrement été insuffisant. La logique médicale de prévention de la trisomie a en effet conduit le premier médecin à pratiquer l'HT 21 sans demander au couple, semble-t-il, sa position en cas de « situation à risque ». Ensuite, cela a été l'escalade de la logique préventive : indication d'amniocentèse, examen pratiqué par un autre médecin et dans un autre établissement que le premier. Et surtout, les parents n'ont pas été concertés ; on ne semble pas s'être soucié de savoir si l'amniocentèse avait un intérêt pour eux (en réalité, elle n'en avait aucun puisque, de toute façon, ils auraient gardé le bébé).

D'où cette impasse et le drame vécu par M. et Mme Saroke, qui en sont venus à négliger leurs autres enfants, confiés à une voisine, tellement le mari avait peur qu'en son absence on fasse accoucher sa femme ! La situation s'apprête à durer jusqu'à la fin du drame — au sens grec —, les scénarios prévisibles variant de l'accouchement compliqué, à l'infection de la mère ou à la naissance d'un fœtus mort, en passant par la prolongation de la grossesse, jusqu'à une possible césarienne avec naissance d'un prématuré handicapé... Toutes issues peu réjouissantes.

Au premier entretien avec ce couple, j'ai d'abord écouté leurs revendications, violentes et tristes. Mme Saroke m'a fait sentir son bébé qui bougeait bien. J'ai essayé, au fil des entretiens suivants, avec les deux parents, de rétablir petit à petit une relation de confiance avec l'équipe. De faire en sorte que M. et Mme Saroke cessent de nous prêter des « idées féticides » sur leur bébé ! J'ai été très aidée sur ce point par la patience et la sensibilité d'un des chefs de clinique qui, au cours d'entretiens menés en commun (les parents, elle et moi-même), a écouté avec une attention bienveillante les critiques adressées par ce couple à la médecine et aux médecins. Le patron du service a, lui aussi, passé un temps très long avec le père pour lui réexpliquer ce qui se passait.

Le sentiment des parents d'être incompris et rejetés a, petit à petit, diminué. Actuellement, eux et nous, équipe, « roulons ensemble » pour la poursuite de la grossesse. Pourtant, à l'évidence, et cela a été clairement verbalisé, nous donnons, eux et nous, un sens différent à la prolongation de cette grossesse : pour nous, il y aura une issue désolante dans tous les cas (la seule solution limitant les dégâts — au moins pour la santé de la mère — étant l'arrêt immédiat de la grossesse) ; pour eux, en revanche, chaque jour passé représente un espoir...

Quand je suis revenue, la semaine suivante, on m'a raconté la fin, prévisible et triste, de l'histoire : Mme Saroke a eu brusquement des contractions et a accouché d'un fœtus mort. Son mari a réagi comme prévu, raide et accusateur. Il a essayé d'extorquer au pédiatre un certificat de « bonne conformation » du bébé. Le couple a refusé l'autopsie. Ce en quoi ils ont eu tort, à mon avis, car cela aurait été un excellent moyen d'essayer de faire entendre leurs plaintes et leurs revendications qui n'étaient pas dépourvues de légitimité. J'avais, pour ma part, essayé d'aborder la question de l'autopsie au cours des entretiens que j'avais eus avec eux ; mais cela s'était avéré un sujet tabou, à la mesure de leur déni d'une issue fatale pour la grossesse.

J'ai eu le sentiment que M. Saroke (sa femme n'a jamais exprimé devant nous de position personnelle sur tout ce qui s'est passé), homme instruit, visiblement déclassé dans la société française actuelle, avait voulu donner une leçon à la médecine française. Il s'est posé en redresseur de torts, en donneur de leçons, voulant peut-être, « sur le dos de ce fœtus », régler un contentieux avec le passé colonial de la France dans son pays.

Si mon interprétation a une quelconque part de vérité, cela peut sans doute rendre compte du malaise que nous avons, en équipe, ressenti devant cette histoire, marquée par la non-communication et par des rapports faussés « dominant/dominé ». Peu après, le couple a porté plainte contre le service.

Nous avons sans doute eu, à propos de ce cas, un véritable « déficit de psychopathologie interculturelle ». La mort d'un fœtus dans le ventre de sa mère est vécue différemment par une Africaine et par une Française. La mère occidentale confrontée à la mort fœtale *in utero* subit ce traumatisme dans un état de stupeur et d'incrédulité. Chez la mère migrante, au-delà de l'incrédulité, il y a une frayeur qui renvoie à des systèmes de croyances propres à l'Afrique. Dans certaines régions du Mali en particulier, la mort fœtale est attribuée au « Dontchognime », maladie propre à la grossesse se reconnaissant à l'aspect du placenta qui apparaît comme « rongé », « mangé ». Les femmes qui en sont atteintes courent le risque de dépression ou de stérilité[42].

Nous sommes sans doute passés à côté des angoisses de ce couple, surtout de celles de Mme Saroke, quasiment mutique pendant cette semaine passée à l'hôpital, et nous ne l'avons évidemment pas aidée, loin s'en faut, à commencer son travail de deuil. Travail qui, dans ces histoires de décès périnatals, devrait commencer dès l'annonce du décès, l'accouchement constituant, en quelque sorte, la première étape du processus par lequel la mère — les parents —, aidés par l'environnement de la Maternité, qui devrait jouer également une fonction contenante, pourront commencer à se restaurer psychiquement.

CÉSAR SERAIT-IL TRISOMIQUE ?

(histoire du couple Verdoux)

L'HISTOIRE du couple Saroke est proche de celle d'une autre patiente, Mme Verdoux, vue tout récemment.

Cette dernière avait accouché d'un petit garçon, César, légèrement prématuré. On m'avait demandé d'aller la voir, car, depuis le matin, plusieurs personnes défilaient derrière la vitre de l'unité des prématurés, qui examinaient soigneusement le bébé. Le père n'était pas en reste : il venait très souvent dans la journée inspecter son fils de haut en bas, et avait fait part au personnel de sa peur que son bébé soit trisomique.

---

42. Voir sur ce point l'article de Léocadie Ékoué, « Difficultés de maternité chez les femmes dans le Tringa (Mali) : le cas de la mort *in utero* », *Devenir*, 1995, n° 1.

J'étais donc allée voir cette maman, d'autant plus facilement que je l'avais déjà rencontrée deux ans plus tôt, lors de la mort *in utero* de leur premier bébé. Le deuil de cet enfant s'était apparemment bien passé, et le bébé actuel était arrivé sans problème.

Mme Verdoux m'avait dit que l'entourage familial et amical lui avait posé problème. En particulier à propos de l'HT 21, test que tout le monde lui conseillait de faire en raison de son âge (trente-deux ans), et de ce qui était arrivé au premier bébé. Mais le chef de service, qui avait suivi Mme Verdoux pour César, le lui avait formellement déconseillé.

Très confiante, elle-même, dans la normalité du bébé, elle me dit avoir eu une grossesse très sereine. Son mari, en revanche, surtout en fin de grossesse, était devenu de plus en plus angoissé par l'hypothèse de la trisomie ; il voulait absolument que sa femme fasse une amniocentèse...

Ce sont ces séquelles d'angoisse qui ont perduré pendant le premier jour de la vie du bébé : M. Verdoux avait d'ailleurs mis vingt-quatre heures avant d'annoncer la naissance à ses parents et beaux-parents, tellement il était peu sûr de la normalité du bébé. D'où ces allées et venues chez les prématurés !

Mme Verdoux m'avait dit qu'elle avait beaucoup souffert de cette pression familiale et sociale. Sans parler de la pression indirecte de la presse féminine qui « bassine » ses lecteurs avec l'HT 21, méthode présentée comme une parade absolue à la trisomie ; ce qui est, on l'a vu, assez illusoire, et éventuellement dangereux au plan psychologique.

Les dégâts de cet examen de dépistage ont été différents dans ces deux histoires, celle du couple Saroke et celle du couple Verdoux. Mais dégâts il y a eu, dans les deux cas.

Le groupe de parole
sur le deuil périnatal
(s u i t e)

NOUVELLE réunion du groupe de parole. La jeune femme suisse, Mme Thévaz, est revenue. C'est avec elle que nous avions discuté « sémantique », à la réunion précédente, autour des termes « avortement/accouchement ». Aujourd'hui, elle a changé d'attitude et nous en avons toutes — l'obstétricienne, la fœtopathologiste et moi-même — été impressionnées. D'un ton serein cette fois, Mme Thévaz a évoqué son « accouchement », son « bébé » (une petite fille) dont elle parlait en termes tendres... Quel chemin (sur la voie du deuil) a-t-elle parcouru depuis la dernière fois ? C'est son histoire personnelle.

Nous remarquons, en tout cas, que cette attitude lui a permis d'apporter aide et écoute à une nouvelle venue dans le groupe, Mme Barbier, mère qui avait pourtant bien du mal à parler. Cette dernière (accompagnée au groupe par le médecin fœtopathologiste) est venue seule, sans son mari qui garde ce soir leur fils âgé de cinq ans. Mais elle dit que le père viendra peut-être à la prochaine réunion.

L'histoire de ce couple est très lourde. Mme Barbier a un fils d'un premier mariage, âgé aujourd'hui de vingt ans. Puis, le couple a eu un petit garçon qui est mort à l'âge de six mois (de mort subite du nourrisson). Est né ensuite un autre bébé, un garçon, âgé aujourd'hui de cinq ans. Le couple a voulu avoir un dernier enfant. Quand Mme Barbier a été enceinte de quatre mois et demi, on a pratiqué une amniocentèse en raison de son âge. Le bébé (un garçon) était malheureusement trisomique... et les parents se sont résolus à interrompre la grossesse.

On imagine les affects de douleur, de culpabilité, ainsi que le violent sentiment d'injustice ressenti par ce couple. Affects indicibles jusqu'à présent, sauf avec le médecin fœtopathologiste qui a fait l'autopsie du dernier bébé et les a beaucoup soutenus.

Cette mère semble avoir particulièrement bien reçu ce que disait Mme Thévaz, qui avait également décidé une interruption de grossesse pour une raison identique (trisomie du bébé). De son côté, Mme Barbier a sans doute pu penser à la perte de son bébé en termes différents, nourris de l'expérience de l'autre mère. À suivre dans un mois, lors de la prochaine réunion du groupe.

UNE NAISSANCE-CAUCHEMAR

(histoire du couple Talgo)

L A VIE du couple Talgo, que je vois deux jours plus tard, a basculé dans le cauchemar en l'espace de quelques heures.

Ce sont des intellectuels, âgés de vingt-six ans l'un et l'autre. Mme Talgo est enceinte de leur premier enfant. Un cancer du placenta (choriocarcinome) vient d'être décelé chez la mère, à sept mois et demi de grossesse. Il a été décidé de la césariser en urgence. Le bébé est mort juste après la naissance. Ce n'était pas prévisible. Il s'agit en effet d'un cas rarissime. Les parents sont sous le choc ; l'équipe est bouleversée. Le courage de cette mère est remarquable, presque incroyable : c'est elle qui tente de nous remonter le moral... Une chimiothérapie lourde a été prévue. Le pronostic médical pour la mère est, heureusement, assez favorable.

Je revois ces parents quelques jours plus tard, après la

première séance de chimiothérapie de Mme Talgo, dans le service de cancérologie. Toujours aussi stoïque, elle soutient son mari qu'elle considère comme le plus fragile des deux. Cas de figure classique : les femmes protègent très souvent leur conjoint dans ce genre de circonstances.

Un mois après, j'ai de leurs nouvelles par le chef de clinique : Mme Talgo a très bien réagi à la chimiothérapie. Le pronostic vital est bon. Le processus de deuil semble, d'après le médecin, comme « accéléré ». Un nouveau mois passe ; les nouvelles sont toujours bonnes. Il est clair que Mme Talgo veut vivre, pour son mari, sa famille. Et pour avoir d'autres enfants.

ENTRE MORT ET VIE

(histoire de la famille Nguyen)

L'ÉQUIPE « bruit » de l'histoire tragique d'une patiente vietnamienne, Mme Nguyen, âgée de trente-deux ans, mère d'une petite fille de cinq ans. Elle vient d'accoucher d'un petit garçon, Cédric, qui se porte bien en dépit de sa prématurité (il pèse deux kilos et doit être « gavé »). Mais la maman, elle, va très mal : on vient de diagnostiquer un cancer généralisé, passé inaperçu pendant la grossesse.

Mme Nguyen est arrivée à l'hôpital pour accoucher. Elle était suivie (!) par un médecin de ville auquel elle s'était plainte de violentes douleurs aux articulations ; il lui aurait dit qu'elle « s'écoutait », que c'était psychologique et qu'après l'accouchement tout rentrerait dans l'ordre...

Je vois très rapidement cette patiente au moment de l'accouchement. Elle est, en effet, hors d'état de parler.

Mais l'équipe, elle, a besoin de parler. La question du secret du pronostic, l'attitude du mari de Mme Nguyen (comme assommé) et le devenir de la petite fille de cinq ans sont au centre des préoccupations des soignants.

Mme Nguyen est partie en service de cancérologie quelques jours après la naissance de Cédric. J'ai parlé d'elle à la collègue psychologue de ce service qui, depuis, est allée souvent la voir. Le pronostic médical est des plus sombres. On amène son bébé tous les jours à sa mère ; mais elle ne semble guère s'intéresser à lui, disent les puéricultrices. Est-ce bien étonnant ?

Quinze jours plus tard, à l'occasion d'une visite à l'unité des prématurés, je m'entretiens, avec les puéricultrices, de cette famille atteinte par un destin si funeste. Deux d'entre elles amènent, deux fois par jour si possible, Cédric à sa maman (qui est hospitalisée dans un bâtiment voisin) sur instruction du pédiatre qui dirige l'unité. Je les accompagne ce jour-là. Le bébé va bien, il a toujours sa sonde gastrique, mais d'ici quelques jours sans doute il pourra être nourri au biberon ; encore deux ou trois semaines, et il sera en état d'être rendu à sa famille. Dans quelle famille ira-t-il à ce moment-là ? Cédric fait un petit tour avec nous dans la cour de l'hôpital : il fait beau ; il prend l'air.

Nous arrivons dans la chambre, en service de cancérologie. Mme Nguyen indique brièvement aux puéricultrices de donner le bébé au père : « C'est l'heure du père », dit-elle. Comme si elle le lui confiait, le forçant à s'intéresser à lui. Le mari de Mme Nguyen, accablé, le prend, à distance de sa poitrine ; il le regarde d'un air désolé, comme pour dire :« Qu'est-ce que je vais faire de toi ? » Cet homme a l'air totalement découragé. Il a une canne, car il souffre d'une hernie discale (il est déménageur de son métier !). Nous parlons de leur petite fille de cinq ans dont les dessins tapissent la chambre ; Mme Nguyen me dit que sa fille en a assez d'être chez la nourrice et qu'elle

veut rentrer à la maison. Le père me fixe ; je lis du désespoir dans ses yeux.

Je dis au père qu'il peut amener sa fille voir son petit
frère — elle ne l'a vu qu'une fois derrière la vitre. Le
pédiatre, confirment les puéricultrices, a dit qu'il était
possible que la grande sœur vienne lui faire un petit bai-
ser. Haussement d'épaules impuissant du père. Je lui
demande si sa fille ne pourrait pas être aidée par une
psychologue à son école, pour pouvoir réfléchir à cette
séparation d'avec sa mère, ainsi qu'à l'arrivée d'un petit
frère dans ce contexte. Mme Nguyen semble approuver
cette suggestion. Mais le père dit que la nourrice a déjà
sa famille à elle et qu'elle n'a pas le temps de prendre
d'autres activités en charge.

Nous ressentons un immense malaise devant cette
situation tragique ; il est clair que, pour l'instant, ce bébé
n'a pas vraiment de place dans l'histoire de cette famille,
complètement envahie, prise par une sorte de deuil anticipé de la mère.

En repartant, je valorise, auprès des puéricultrices,
l'aide qu'apportent les visites quotidiennes de son bébé à
la maman — visites qui ne sont pas sans les bouleverser
elles-mêmes. Ainsi que l'importance, pour l'avenir du
petit garçon, de contribuer à tisser des liens avec cette
mère qu'il ne connaîtra sans doute que par ce qu'on lui
en dira. Et du côté très précieux, pour l'avenir de cet
enfant, de ce qu'on lui racontera de ces premiers liens.

Cette aide a peut-être aussi permis à cette mère de se
battre pour rester en vie le plus longtemps possible. De
ces liens, de ce combat, j'explique que nous sommes en
quelque sorte les témoins, les dépositaires.

Quinze jours plus tard, Mme Nguyen est en aplasie :
ses globules blancs ont chuté. Elle est dans une chambre
avec mesure d'isolement et ne peut voir son bébé. Les
grands-parents paternels semblent se mobiliser pour
prendre le bébé (et la grande sœur ?), car le père doit

se faire bientôt opérer (sans doute en a-t-il « plein le dos »). Mais ils ont respectivement soixante-quatorze et soixante-seize ans et habitent à la campagne, dans un petit village, loin de Paris.

Le problème est de plus en plus complexe : du psychologique ou du social, qu'est-ce qui prime ?

Début novembre, le mari de Mme Nguyen est sur le point de se faire opérer. Les grands-parents, qui s'occupent de la grande fille de cinq ans, ne peuvent assumer aussi le bébé. Les assistantes sociales font le maximum pour essayer de trouver une solution qui permette à la sœur et au petit frère de rester ensemble. Mme Nguyen est toujours aussi courageuse, mais va mal.

Désormais, je m'occupe principalement de soutenir le moral des puéricultrices qui reviennent bouleversées des visites du bébé chez sa maman. Les rumeurs « accusent » tantôt la mère de ne pas s'intéresser assez à son bébé, tantôt le père, considéré comme froid ou indifférent. Il est inévitable que chacun projette un peu de « surmoi », une grande angoisse aussi, sur fond de « que ferais-je, moi, si j'étais confronté à ce genre de situation ? ».

Quinze jours plus tard...

Mme Nguyen va toujours mal. Son mari semble « au bout du rouleau ». Encouragé par l'obstétricien et le pédiatre, il décide de se faire opérer le plus rapidement possible. Pendant ce temps, ses parents garderont la fille aînée et le bébé pourra encore rester à l'unité des prématurés. Ainsi, M. Nguyen pourra mieux faire face à la suite, une fois qu'il sera rétabli. Mais l'insistance de médecins qui connaissaient bien la situation pour qu'il se fasse opérer lui a été utile, tant il se sentait jugé de sa soi-disant fuite devant la maladie de sa femme et devant ses responsabilités. Il a peut-être aussi besoin de régresser... Qui peut se permettre de le juger, dans une situation si cauchemardesque ?

« On n'est plus un service de gynéco, mais un service de cancéro », entend-on dire dans l'équipe... « Est-ce que ce ne serait pas à cause de Tchernobyl ? » se demande une infirmière. Pourquoi pas ? Chacun se fait son idée sur l'injustice du destin : il y a des moments où la coupe est pleine ; il faut trouver une cause extérieure, un mauvais objet responsable. Quelqu'un d'autre commente : « En juillet, ça a été la série des féticides, en septembre, serait-ce la série des cancers ? »

Histoire de Safia
(suite)

N OUS AVONS des nouvelles de Safia, venue voir le chef de service en consultation de suite de couches. Il la trouve rayonnante, captivée par son bébé, complètement transformée par rapport à la période de la grossesse. Nous aurions bien aimé, la sage-femme, l'anesthésiste et moi-même, qu'elle nous donne elle-même de ses nouvelles. Mais il est probable que les Témoins de Jéhovah veillent au grain. Nous ne sommes sans doute pas « religiously correct »...

Histoire de Mme Long
(suite)

M ADAME LONG est venue me voir alors que j'étais absente. Elle n'allait pas bien, me dit l'assistante sociale qui l'a envoyée aux urgences psychiatriques de l'hôpital. Mais elle semble décidée pour l'adoption, poursuit-elle.

J'ai de ses nouvelles quelque temps plus tard, à l'occasion d'une rencontre organisée avec les psychologues de l'Association Ilythie qui prend en charge, pendant leur grossesse, les mères qui envisagent un consentement à l'adoption. Elles disent que Mme Long a pris contact avec elles il y a plusieurs semaines et que, de temps en temps, elle leur rend visite. Mais elle résiste à accepter l'hébergement qui lui est proposé dans la maison de cette association (maison autogérée où vivent entre deux et six mères enceintes). Mme Long préfère apparemment continuer à vivre dans la rue, lieu qu'elle connaît bien... Elle a dit qu'elle viendrait peut-être habiter à Ilythie pendant les dernières semaines de sa grossesse (qu'elle continue de faire très bien suivre sur le plan médical). Elle doit accoucher début février.

Histoire de Nour
(suite)

J E TROUVE un message de Nour sur mon répondeur. D'une voix toujours difficilement audible, elle m'annonce que sa demande à la Commission des recours aux réfugiés a été refusée. Et ajoute que si elle doit quitter la France, ce sera le départ pour Entebbe ! Je la rappelle, son ton terrorisé me fait mal. Je prends contact avec l'assistante sociale du foyer, puis avec l'avocat. Nour m'apporte une copie du texte de refus de sa demande d'admission au statut de réfugiée.

J'en apprends long alors sur les subtilités de notre législation vis-à-vis des réfugiés : Nour a en effet, me confirme l'avocat, reçu une IQTF (« invitation » à quitter le territoire français). Un mois après ce carton d'invitation, elle recevra un APRF (avis préfectoral de reconduite à la frontière). « Then, exit »... Où est le pays des Droits de l'Homme ?

L'avocat essaie toujours de récupérer le passeport de

Nour (détenu de façon arbitraire par la préfecture de police) ; il a déjà fait plusieurs lettres en ce sens, restées sans réponse... Avec son passeport, Nour pourrait en effet essayer de demander l'asile à la Grande-Bretagne ou au Canada (où est réfugié son frère). Sinon, elle n'a qu'à se terrer au foyer jusqu'à ce qu'on vienne la chercher. L'assistante sociale me dit qu'elle lui a conseillé de continuer à venir à ses rendez-vous à l'hôpital avec moi, ce qui vaut mieux pour elle que de rester cloîtrée... « Ce qui doit arriver arrivera », me dit-elle d'un ton fataliste (nullement indifférent toutefois, car elle s'est donné un mal fou depuis plusieurs mois pour Nour).

La semaine suivante, Nour arrive, amaigrie, habillée à l'européenne. Bravant sa peur panique (et justifiée) de la police, elle a fait un effort pour sortir de sa cachette (le foyer). Elle m'apporte le texte de refus de la Commission des recours aux réfugiés. Ce texte me fait bondir. En quatre pages, en effet, est relatée correctement toute son histoire et celle de sa famille (tout le monde a été torturé et est mort, sauf son frère et elle, pour l'instant). Mais la commission argue du fait « qu'on ne peut tenir pour établis les faits allégués ni les craintes énoncées » ! On a dit à Nour qu'il fallait qu'elle fournisse un certificat médical des médecins ougandais attestant l'existence des viols en prison... Ainsi que la preuve que sa séropositivité est liée à ces viols...

On se croirait à la Sécurité sociale[43]... Ou encore dans un commissariat de police il y a vingt ans, quand les femmes qui venaient dénoncer un viol se faisaient regarder d'un air mi-vicelard, mi-goguenard par les policiers.

La décision de la commission, rendue, comme il se doit, « au nom du peuple français », se termine par la

---

43. Je suis également « épinglée » dans ce rapport où il est écrit que le document présenté par un psychanalyste est insuffisant (à l'égard des craintes énoncées)... Et moi qui pensais avoir fait un peu (trop) de *pathos*...

citation intégrale de l'article 1er (§ A, 2°) de la Convention de Genève et du protocole signé à New York (du 31 janvier 1967) qui stipule que : « Doit être considérée comme réfugiée toute personne qui, craignant avec raison d'être persécutée du fait de sa race, de sa religion, de sa nationalité ou de son appartenance à un certain groupe social ou de ses opinions politiques, se trouve hors du pays dont elle a la nationalité et qui ne peut ou, du fait de cette crainte, ne veut se réclamer de la protection de ce pays. »

Le texte qui motive le refus du recours explique pourtant largement en quoi l'histoire de Nour illustre ces dignes propos[44]. Il est même précisé que la jeune fille « garde d'importantes séquelles physiques et psychologiques des mauvais traitements qui lui ont été infligés en Ouganda ». On s'apprête néanmoins à la réexpédier dans son pays, où elle sera rapidement rayée de la carte...

Fin octobre, début novembre 1996, tragique dérision, on ne parle en France que du sort terrible des peuples de Centre-Afrique. Mais quand on peut facilement sauver une seule ressortissante, on la renvoie à l'abattoir avec les millions d'autres. Après quoi on peut retourner soupirer devant les images tellement émouvantes que montre la télévision...

Histoire de Mlle Gaxos
(suite)

Nous avons eu, en novembre, des nouvelles de Mlle Gaxos et de Phœbé, par la directrice du foyer parisien où la mère est hébergée avec son fils. Tout se passe pour le mieux, nous dit-on. Cette maman fait partie des

---

44. Tous les renseignements précis et datés que j'ai indiqués, dans ce livre, au début de l'histoire de Nour, viennent du texte de ce recours, remarquablement bien argumenté... sauf pour la conclusion qu'il en tire !

personnes qui se sont le mieux intégrées à la vie du foyer. Elle a repris son travail (et ses études) ; son fils se développe bien. Elle pourra rester là pendant dix-huit mois. Il suffisait, apparemment, d'avoir confiance en cette mère...

MAMAN DE PRESQUE JUMEAUX

(histoire de Mme Allain)

J E VAIS VOIR Mme Allain, trente-deux ans, qui vient de vivre une mort fœtale *in utero*. Après quinze semaines, sa grossesse s'est arrêtée ; on a dû déclencher l'accouchement. Hier soir, elle a expulsé, en présence de son mari, un petit fœtus dont elle n'a pas voulu savoir le sexe.

Mme Allain présente une étonnante capacité spontanée d'élaboration du deuil de ce bébé qui-n'a-pas-eu-lieu [45]. Son histoire est singulière dans le sens où le couple a déjà un bébé, une petite fille âgée de sept mois. Le second bébé était cependant « programmé » (comme on dit aujourd'hui).

Mme Allain me dit avoir très mal vécu le fait d'être fille unique. En outre, elle n'a pas été élevée par ses parents : de la naissance à huit ans, elle a vécu avec sa grand-mère maternelle. Cette maman aurait donc voulu avoir des enfants très rapprochés, des « presque jumeaux » qui auraient pu jouer ensemble. Le sort en a décidé autrement...

Mme Allain se culpabilise beaucoup de cette mort fœtale. Elle se reproche en particulier d'avoir continué sa vie « suractive » (elle se déplace en moto pour son travail

---

45. Selon l'expression de Kenzaburô Ôé dans « Agwîî le monstre des nuages », *in Dites-nous comment survivre à notre folie*, Paris, Gallimard, 1982, et dans *Une affaire personnelle*, Stock, 1985.

d'agent commercial). Mais elle me dit qu'elle n'a pas agi autrement lors de sa première grossesse... En fait, et plus profondément, elle se reproche d'avoir voulu ce second bébé trop tôt, risquant ainsi de léser sa fille qui n'aurait pas eu son temps de « bébé tout seul avec ses parents ». Mme Allain est, il faut le noter, une mère très « doltoïsée » qui a expliqué à son bébé, dès le début de la grossesse, la future arrivée du suivant. Elle dit que (du coup ?) sa fille a des difficultés de sommeil et qu'elle est assez capricieuse.

Le seul bénéfice de cette histoire triste, dit-elle, est que sa fille aura ainsi plus de temps toute seule. Les parents voudraient remettre en route un autre bébé dès les résultats de l'autopsie, dans deux mois environ. Il y aurait alors une différence « normale » entre les enfants.

Mme Allain ne banalise pas pour autant le deuil de cet enfant qui n'a pas pu venir. Au contraire, elle le vit comme le deuil d'un adulte. Elle vient d'ailleurs d'en faire, par deux fois, la douloureuse expérience, avec la disparition de la grand-mère qui l'avait élevée, puis avec la mort d'un ami emporté par le sida. Elle m'explique très bien que, comme pour le deuil d'un adulte, elle a connu son bébé, elle l'a « vu » : elle a eu deux échographies et, les deux fois, on lui a dit que le bébé bougeait bien, qu'il était « bien parti ». Elle a ainsi pu l'imaginer devenant, dans quelques mois, un bébé comme l'est sa fille.

Avec une grande finesse d'analyse, Mme Allain dit que, dans l'histoire de ce bébé mort *in utero*, comme dans toutes les morts, on pense : « Un jour j'ai vu la personne et, en fait, c'était la dernière fois et je ne le savais pas. Et on se reproche alors de ne pas avoir parlé une fois de plus à la personne qui allait mourir, de n'avoir pas été plus présent, gentil, etc. » Et elle ajoute, très poétiquement[46] : « Ils sont de l'autre côté du fleuve et c'est fini. »

---

46. Mme Allain rejoint ici spontanément l'image de l'Achéron, du Styx ; et le thème d'Orphée et d'Euridyce.

En cas de mort *in utero*, la plupart des endeuillés se font le même reproche que Mme Allain. Que se dit cette mère, en effet ? Qu'elle n'a pas osé — ou si peu — donner du sens aux faibles mouvements du fœtus (« il bougeait, puis plus rien »). Et elle ne peut s'empêcher de penser que, si elle l'avait fait et s'était rendue aux urgences, on aurait peut-être eu le temps de faire quelque chose...

Ces reproches très durs ne sont guère entendus ni compris par l'entourage qui renvoie à ces mères le cliché banalisant du « personne n'y pouvait rien, il n'y avait rien à faire ».

Dans ce vécu particulier et solitaire, il existe sans doute une spécificité maternelle des deuils périnatals. Cela ne signifie pas que le père ne souffre pas, mais qu'il souffre d'une autre façon : la réalité physiologique, dans ce cas, modèle, gauchit, induit une réalité psychique quelque peu différente chez l'homme et chez la femme.

Mme Allain a également peur d'oublier ce bébé qui ne sera inscrit nulle part dans la généalogie familiale. Trop petit pour pouvoir figurer dans le livret de famille, même avec la mention « enfant né sans vie », il n'est « rien », en effet, au regard de l'état civil. Mme Allain se demande comment elle en parlera plus tard — voire si elle parlera de lui — à sa fille ainsi qu'à ses futurs enfants. Et pourtant, à ses yeux, il fait bien partie de l'histoire de la famille. Certes...

Elle ajoute qu'ayant conservé un chandail de sa défunte grand-mère, elle s'est aperçue, un an plus tard, à l'occasion d'un déménagement, que le chandail avait perdu l'odeur de la grand-mère. Qu'en sera-t-il, se demande-t-elle, pour ce bébé sans odeur ni trace, dont il ne subsiste que le cliché de l'échographie ?

Après ces instants très intenses et chargés en émotion, je demande à Mme Allain si elle rêve de sa grand-mère. Ma question provoque chez elle un large sourire. Comme soulagée, elle acquiesce. Et convient qu'on n'oublie pas tant que cela...

Alors que je m'apprête à quitter sa chambre, Mme Allain me demande si j'ai l'habitude de visiter toutes les accouchées. Je lui réponds par la négative et lui explique à nouveau (avec un zeste de questionnement intérieur sur sa question) que je suis là parce que son bébé est mort. Alors elle me raconte qu'il y a sept mois, ici même, après son dernier accouchement, elle a connu un moment de cafard. La naissance s'était déroulée normalement, mais elle s'était sentie très déprimée. Comme elle pleurait beaucoup, une infirmière avait demandé à une psychologue (la stagiaire de l'année dernière) de venir la voir. Lui parler avait beaucoup aidé Mme Allain...

Sans transition, elle me demande si je pourrai venir la voir après son futur accouchement. Bien sûr, j'acquiesce...

La « chute » de cet entretien apporte un important élément de réflexion sur les dépressions qui suivent souvent les accouchements. On n'y prête pas encore assez d'attention, surtout quand la « déprime » prend une forme apparemment bénigne. Lorsqu'une mère pleure, ne dit-on pas que c'est le « blues » des accouchées et que cela passera au bout de quelques jours ? Le *post-partum blues*, qui apparaît entre trois et sept jours après l'accouchement, touche entre cinquante et quatre-vingts pour cent des accouchées. Pour banal qu'il soit, il ne faut pas pour autant le négliger.

Bien différente est la vraie dépression du post-partum qui, elle, peut durer longtemps si elle n'est pas convenablement traitée. Je me suis, en tout cas, demandé si la conception du deuxième enfant, survenue rapidement après la naissance du premier, ne témoignait pas, chez cette mère, de l'existence camouflée d'une véritable dépression. Hypothèse qui permettrait également de se poser des questions sur le « pourquoi » de l'arrêt de cette grossesse. N'oublions pas que pour la plupart les morts fœtales *in utero* restent inexpliquées sur le plan médical.

VRAI OU FAUX ABANDON ?

(histoire de Mme Carnac)

À LA RÉUNION d'équipe « psy », nous parlons, l'assistante sociale, la pédiatre, la sage-femme et moi-même, de Mme Carnac, trente-quatre ans, qui a accouché la semaine dernière et nous inquiète.

J'ai déjà vu cette patiente une première fois au début de sa grossesse. Sans domicile connu, elle vivait pour partie dans la rue, pour partie à l'hôtel. Elle disait que le père de l'enfant la battait et l'avait mise à la porte parce qu'elle refusait de se faire avorter. Je l'avais revue une deuxième fois au moment de l'accouchement. Elle a quitté la Maternité il y a trois jours.

Et voilà que, par hasard, je croise aujourd'hui Mme Carnac à l'unité des prématurés. Elle vient donner le biberon à Aurélie, sa fille âgée d'une semaine (petit gabarit, mais qui se porte bien). Elle lui apporte des pyjamas et un nombre impressionnant d'énormes peluches (cadeaux d'adieu ?). Le bébé est en instance de partir en pouponnière de l'Aide sociale à l'enfance (on attend la décision du juge) où sa mère a demandé son placement jusqu'à ce qu'elle puisse la reprendre. Il y a eu, en effet, intervention du juge des enfants ; un contrat thérapeutique a été passé entre la mère et les services de l'Aide sociale à l'enfance. Or Mme Carnac est elle-même une enfant de l'ASE ; de plus, elle a un passé personnel de mauvais traitements et de placements successifs...

Maquillée comme une star, Mme Carnac est très

méfiante. Je la trouve particulièrement inquiétante. Comme mère d'un nourrisson, mais aussi comme personne. Visiblement, elle ne veut pas que nous connaissions la vie qu'elle mène. Toxicomanie ? Prostitution ?

Toujours flanquée d'amies bizarres, elle est escortée aujourd'hui d'une personne à l'allure de débile légère, habillée de vieilles fripes, tandis qu'elle-même porte un superbe (faux, me dit-on) manteau de fourrure. Quand elle avait accouché, c'était une jeune femme complètement filiforme (elle se disait aide-soignante et accusait le personnel de l'étage de la prendre pour une anorexique, alors que, disait-elle, c'était son amie qui l'était) qui montait la garde devant la porte de la chambre de Mme Carnac. J'avais d'ailleurs eu le plus grand mal à m'entretenir avec la mère hors de la présence de cette amie qui ne « décollait » pas et prétendait vouloir m'apprendre beaucoup de choses sur Mme Carnac qu'elle disait cependant ne connaître que depuis quelques mois... J'avais fini par confier le bébé à l'amie (après avoir prévenu la puéricultrice de l'étage) et j'avais emmené la mère dans mon bureau, situé à un autre étage.

Mme Carnac est une femme très astucieuse. Elle dit avoir fait des études supérieures et avoir travaillé dans une société d'informatique (il lui reste de ce passé un téléphone portable qui n'a pas l'air de fonctionner !). Visiblement, elle a impressionné l'assistante sociale qui a peut-être tendance à croire un peu trop facilement ce que cette mère lui raconte. J'ai le sentiment (peut-être inexact, mais tout de même...) que Mme Carnac a tout fait pour mettre l'assistante sociale « dans sa poche » et lui faire obtenir de la justice et de l'Aide sociale à l'enfance la solution qu'elle souhaitait (consciemment ou inconsciemment ?) : laisser son bébé sans l'abandonner officiellement ; et le protéger de sa violence à elle (quelques heures après l'accouchement, ses défenses s'étant un peu relâchées, Mme Carnac me l'avait du reste laissé entendre) sans se faire trop violence, c'est-à-dire en s'évitant le traumatisme d'avoir à abandonner le bébé. Je lui ai donné un rendez-vous quinze jours plus tard. Viendra-t-elle ?

Mme Carnac n'est pas venue au rendez-vous. Mais nous avons eu une réunion d'équipe animée sur son cas. Le bébé est toujours chez les prématurés. Chaque jour, Mme Carnac vient passer « un cinq à sept » (comme dit le pédiatre) avec sa fille. C'est d'ailleurs l'occasion d'une séance générale de « tchatche » avec d'autres mères qui viennent aussi allaiter leur bébé. Elles s'aident les unes les autres, s'échangent les bébés et les biberons ; de véritables liens du lait se tissent[47].

Le problème, c'est qu'Aurélie sera bientôt « sortante » et que l'on ne sait pas encore où elle ira. Mme Carnac doit voir le juge ces jours-ci et tenter de le persuader que la solution de placement provisoire (dans une pouponnière, puis dans une famille d'accueil) est la meilleure... L'équipe est de plus en plus convaincue que la maman a autre chose à faire dans la vie que de reprendre ce bébé, même dans six mois ou un an... En même temps, il paraît clair qu'elle n'a pas le courage de signer un consentement à l'adoption. Elle pense sans doute avoir trouvé un « moyen terme » en utilisant l'Aide sociale à l'enfance comme « consigne à bébés ». Reste à savoir comment le juge appréciera l'affaire.

Le juge a dit que le bébé n'était nullement en danger et que, si sa mère demandait d'elle-même un placement du bébé en pouponnière ou en famille d'accueil, il n'y avait pas lieu de mobiliser la justice plus avant[48]... Cette réaction ne m'étonne qu'à moitié, car j'étais sûre que Mme Carnac, comme elle l'avait fait avec notre équipe, gagnerait la confiance du juge et l'amènerait dans son camp...

---

47. Cf. Jacqueline Rabain-Jamain, *L'Enfant du lignage*, Paris, Payot, 1975.
48. Ce serait donc un placement administratif et non judiciaire.

Or il s'est trouvé que Mme Carnac, venant, hier, à son
« cinq à sept » habituel avec sa fille, a été prise de douleurs violentes au bas-ventre et hospitalisée en urgence.
Je l'ai donc revue à cette occasion. Le lendemain de son
hospitalisation, elle allait un peu mieux, sous surveillance
médicale — et sous antibiotiques — en attendant les
résultats des examens. Elle me dit d'un ton amer que de
cette façon la mère et la fille sont hospitalisées
ensemble... La surveillante, avec un sourire ironique,
dit que Mme Carnac a indiqué comme métier sur sa
feuille d'admission « vendeuse » ; « de ses charmes ? »,
commente-t-elle.

Quoi qu'il en soit, Mme Carnac est remarquablement
cohérente et tenace. Elle tient — et elle y arrivera probablement — à ce que son enfant soit élevé dans une famille
d'accueil afin que, dit-elle, s'il lui arrivait quelque chose,
sa fille ait déjà un lien avec des parents. C'est, au fond,
assez touchant. Nous imaginons cependant, à la lumière
de notre expérience, que Mme Carnac ira voir sa fille très
régulièrement au début, pendant six mois, un an, deux
ans, et que, petit à petit, elle risquera de s'en désintéres-
ser. Quand Aurélie sera-t-elle adoptable ? À trois ans, à
six ans ? Le sera-t-elle même un jour ? Et l'histoire se
répétera-t-elle encore une fois à la génération suivante ?

Mme Carnac, quelque peu désœuvrée pendant son hospitalisation, me parle davantage de son histoire. Née de
père inconnu — un gitan, dit-elle —, elle a été reconnue
par sa mère qui, peu après, l'a déposée dans une pouponnière, où elle est restée jusqu'à l'âge de deux ans. Elle
était alors avec son frère, de un an son cadet (elle ne l'a
pas revu depuis). Elle a ensuite été placée dans une
famille d'accueil. Le couple ayant déjà trois garçons et ne
voulant pas d'un quatrième, Mme Carnac et son frère ont
alors été séparés.

Elle est restée dans cette famille jusqu'à l'âge de seize
ans. Elle s'entendait mal avec ses parents adoptifs, sur-

tout avec la mère. Après plusieurs fugues, elle a été placée dans un foyer de la DDASS pour jeunes filles, dont elle dit avoir définitivement fugué pour « monter à Paris » à l'âge de dix-huit ans. Ensuite... Est-ce l'histoire classique des Bretonnes montées à Paris et accueillies par de gentils messieurs sur le quai de la gare Montparnasse[49] ?

Histoire de Nour
(s u i t e)

J'AI RENDEZ-VOUS, au Centre d'accueil des demandeurs d'asile, avec l'assistante sociale de Nour qui a souhaité me voir pour faire le point sur ce qu'il est possible de faire pour aider cette jeune femme.

Trente-sept réfugiés habitent là, représentant une quinzaine de nationalités. L'assistante sociale me fait lire un très beau poème de Nour intitulé « Chant d'une réfugiée » qu'une stagiaire a traduit de l'anglais[50]. Il illustre parfaitement une philosophie stoïcienne de l'existence. Modeste, Nour ne m'avait pas dit qu'elle écrivait des poèmes.

Je vais la voir dans sa chambre. Je lui dis qu'après mûre réflexion, il me semble préférable qu'elle fasse état de sa séropositivité que personne ne connaît en dehors de l'hôpital, pas plus l'assistante sociale du foyer que l'avocat ou les juges de la Commission des recours. Je lui dis que son état de santé pourrait peut-être servir d'argument auprès de certaines associations (Act Up, par exemple). Nour acquiesce à contrecœur. À présent, il faut faire feu de tout bois, car elle peut être expulsée d'un jour à l'autre.

L'assistante sociale, à laquelle Nour annonce sa séropo-

---

49. Qu'on ne voie ici nulle critique des Bretons (ou des Bretonnes), minorité ethnique à laquelle l'auteur est fière d'appartenir.
50. Ce poème est reproduit en annexe, p. 221-222.

sitivité, se montre très étonnée qu'elle n'en ait pas parlé, fût-ce au médecin du foyer : elle aurait pu bénéficier d'un complément alimentaire (de l'argent liquide pour s'acheter des vivres et l'autorisation de faire sa cuisine dans sa chambre). Mais Nour refuse que ce secret sorte du bureau de l'assistante sociale, préférant en rester au *statu quo*. Elle a peur que cela se sache. Avec son accord, l'assistante sociale prendra contact, en tout cas, avec des associations.

Histoire de Mme Lenoir
(suite)

M ADAME LENOIR m'amène sa petite Aline, le « bébé aux deux pères ». Un des pères l'accompagne — il s'agit de son ex-compagnon, le père de Sébastien, huit ans, qui vit avec elle —, mais il s'éclipse très vite. Le bébé a maintenant un mois. C'est une mignonne petite fille. « Elle me ressemble », dit sa maman qui m'a apporté des photos d'elle, bébé, ainsi que de ses deux autres fils au même âge. « Malgré les pères différents, on voit bien qu'ils sont de moi, » poursuit-elle, non sans une fierté émouvante.

Mme Lenoir est très fatiguée. Et elle semble prise dans une relation fusionnelle avec sa fille qui ne la quitte pas des yeux. « Elle tète tout le temps et dort avec moi dans le grand lit, ce qui fait que, moi, je dors très mal. J'ai peur de l'étouffer en me retournant », me dit-elle. J'aborde la question de la séparation mère/bébé, bien compliquée dans son cas, car il n'existe pas vraiment d'instance séparatrice. « Trop de pères », en effet, équivaut à « pas de père » ! Sébastien, le grand frère, est jaloux, me dit-elle. Rien d'étonnant...

Je prends le bébé dans mes bras et lui parle de la situation familiale. Mme Lenoir se montre intéressée par ce type d'approche. Nous convenons d'un prochain rendez-vous.

Histoire de Mme Long
(s u i t e)

Q UAND je raccompagne Mme Lenoir et son bébé, je trouve, à la porte de mon bureau, Mme Long. Elle est maintenant enceinte de six mois. Elle a les cheveux en bataille et les yeux « au beurre noir ». Elle me dit habiter de nouveau dans son box — de plus en plus mal fréquenté : le Bosniaque est toujours là (avec son fils adulte) ; il est de plus en plus violent avec elle, la maltraite et l'humilie, lui fait faire toutes sortes de besognes et semble se soucier comme d'une guigne du bébé à venir (une petite fille). C'est difficile à entendre.

Mme Long dit qu'elle vient me voir parce qu'elle a bien réfléchi depuis notre dernier entretien, il y a deux mois : elle est décidée à accoucher « sous X ». « Dans les conditions actuelles, c'est vraiment trop dur de garder un bébé », me dit-elle. Mais elle en est triste, elle en a honte.

Elle me demande mon avis. Ainsi que des explications sur la manière dont cela se passera. En particulier, elle est très préoccupée de savoir s'il faudra qu'elle voie le bébé après l'accouchement et si elle devra l'allaiter. Elle craint de ne pas pouvoir le supporter... J'essaie de la rassurer sur ces différents points et je valorise sa décision d'adoption. Nous parlons de la question du secret des origines, secret que ce bébé-là aura à vivre, alors que, dit-elle, « pour les trois autres [qui sont placés], c'est différent ; ils savent qui est leur mère, je pourrai peut-être les revoir plus tard ».

Cette mère suscite en moi des contre-attitudes compliquées. Je m'embarque — en essayant de les analyser le mieux possible — sur la première d'entre elles : mon malaise à la vue d'une femme enceinte dans la rue, maltraitée, humiliée. Puis, la seconde : mes projections ambiguës sur l'avenir psychique de ce futur bébé « parfaitement amniocentésé », avec une grossesse bien suivie sur le plan médical, promis donc à l'adoption, mais dont la vie intra-utérine aura été pour le moins rude...

J'imagine sa vie, adolescent, adulte, dans une famille « normale » : quelles traces mnésiques lui resteront de sa vie intra-utérine ? Et du désinvestissement anticipé de ses deux parents géniteurs ? Cela sans vouloir aucunement faire de roman-feuilleton (pas plus que de roman-photo !) sur la vie fœtale. Mais les développements de la médecine fœtale et de la physiologie animale et humaine tendent cependant à admettre qu'une certaine organisation dans le temps se met en place assez tôt au cours de la vie fœtale, et qu'à la naissance existent déjà des rudiments de l'histoire du sujet [51].

Joignant le fantasme à la parole, j'essaie donc de voir avec Mme Long s'il n'y a pas un moyen qu'elle termine sa grossesse dans de meilleures conditions matérielles et morales, en quittant peut-être son box et son Bosniaque... Mais, très lucide sur elle-même, Mme Long m'explique qu'elle ne supporte pas d'être « enfermée », c'est-à-dire de vivre en collectivité. Elle a été maltraitée dans le passé, me dit-elle, dans certains de ces foyers maternels, et elle ajoute qu'elle a « assez donné » pour la vie en commun.

Je lui propose alors d'aller voir une association qui s'occupe — de manière assez souple — de mères enceintes ayant un projet de consentement à l'adoption. Mme Long est d'accord. Je téléphone aussitôt, en sa présence, à l'association, et obtient qu'elle soit reçue tout de suite. J'es-

---

51. Sur le premier point, voir M.-C. Busnel (dir.), *Le Langage des bébés*, Paris, Jacques Grancher, 1993. Sur le deuxième point, on peut se reporter à *Objectif bébé. Une nouvelle science : la bébologie*, collectif dirigé par G. Delaisi de Parseval, Paris, Seuil, coll. « Points actuels », 1985.

père ainsi qu'on pourra lui accorder une aide financière ponctuelle et immédiate (plusieurs nuits ou semaines dans un hôtel « touristique », comme le disent les mères sans domicile).

Le lendemain, pourtant, à travers le coup de fil d'une personne de cette association, je comprends que Mme Long est tombée sur quelqu'un qui lui a servi « une sauce psy », lui parlant de la nécessité d'un travail d'élaboration sur ce projet d'abandon du bébé... Mme Long doit revenir les voir la semaine prochaine. À ce moment-là, me dit-on, on tâchera de lui proposer un hébergement à l'hôtel.

Reviendra-t-elle ?

La semaine suivante, j'apprends que Mme Long ne s'est pas représentée. La surveillante de la consultation lui propose d'être hospitalisée jusqu'à la fin de la grossesse. Nouveau refus de Mme Long.

Tel un oiseau qui refuse d'être encagé, cette femme repousse tout ce qui implique une mainmise sur elle. Est-ce un signe de la pathologie de la « grande exclusion », comme on dit maintenant dans les milieux branchés de la médecine humanitaire ?

Quand j'avais raccompagné Mme Long, les multiples coups de fil et les bruits de couloir n'étaient pas passés complètement inaperçus de la salle d'attente... La patiente suivante, une femme d'une quarantaine d'années ayant fait six fausses couches et quatre fécondations *in vitro* en deux ans, avait remarqué l'âge et l'état de Mme Long ; elle me dit que c'est encourageant de voir des femmes enceintes pas très jeunes dont la grossesse tenait dans des conditions apparemment difficiles ; mais que la vie était vraiment mal faite puisque la dame en question n'avait pas l'air de vouloir garder le bébé !

De fait, chez nous, les enfants ne « circulent » pas, ou circulent bizarrement. Telle mère, en effet, va donner son bébé à une institution (la DDASS) qui, à son tour, le donnera à des parents demandeurs d'enfant, et ce, à travers un « sas » compliqué. Telle autre mère, demandeuse d'enfant à tout prix[52], va recourir à d'autres institutions (la médecine et la Sécurité sociale) qui, au bout d'un parcours lourd et complexe, ne lui garantiront pas d'enfant !

CETTE FOIS-CI, ON NE PEUT PAS LE GARDER

(histoire de Mme Forna)

À LA FIN de cette journée façon « cour des miracles », le chef de service me demande d'aller voir une patiente, Mme Forna, qui vient de faire une interruption médicale de grossesse, à six mois, pour motif psychiatrique. Il avait été question de cette patiente, âgée de trente ans, il y a quelque temps, à une réunion d'équipe ; mais il m'avait semblé alors inutile que je la voie, cette femme étant bien connue et suivie par un certain nombre d'intervenants de la Maternité.

Chaque année, ou presque en effet, Mme Forna accouche ici d'un enfant. Elle en a déjà eu six. L'aîné a été adopté, tandis que les cinq autres sont placés. Elle a fait également plusieurs séjours en psychiatrie, « étiquetée » comme schizophrène. Elle pratique, paraît-il, la prostitution aux alentours de l'hôpital. Pour cette grossesse-là, le psychiatre expert a rédigé un certificat autorisant une interruption médicale de la grossesse au motif de son état mental (elle a notamment des délires et des hallucinations auditives et visuelles).

---

52. Cher payé pour les patients comme pour la société. L'expression « lancée » en 1984 dans mon livre *L'Enfant à tout prix* a, depuis, fait florès. Signe que cette notion de coût psychologique et social des conceptions ou naissances « forcées » (au sens de tarabiscotées) est peut-être passée dans les représentations.

Lorsque j'arrive un peu plus tard au poste infirmier, je rencontre le psychiatre de garde en conversation animée avec le « mac » de Mme Forna, tandis que cette dernière arpente le couloir, un Walkman sur les oreilles, impatiente de sortir après l'interruption de la grossesse qui a eu lieu le matin même. Le psychiatre refuse de laisser sortir la patiente en raison de son état mental. Il a, à ce sujet, une discussion assez houleuse avec le « mac ». Mme Forna quitte tout de même l'hôpital, contre avis médical. Est-ce le « mac » qui l'a « aidée » à signer le papier qui le lui permet ?

Nous nous entretenons alors assez longuement à trois (le « mac », le psychiatre et moi-même). Le « mac » est un personnage assez emblématique du genre roublard, sympathique, « protecteur », « paternel » envers Mme Forna qu'il connaît, dit-il, depuis qu'elle a dix-sept ans. Il nous dit qu'elle était déjà très perturbée à ce moment-là... Ils auraient eu ensemble un enfant, l'avant-dernier ; celui-ci est en famille d'accueil et ils iraient le voir tous les quinze jours. Mais pour la dernière grossesse, dit-il, c'était vraiment trop... C'est sans doute lui qui a demandé l'interruption de grossesse (pour remettre Mme Forna plus tôt sur le trottoir ?). Tant le psychiatre que moi, nous lui expliquons qu'il est indispensable que Mme Forna soit soignée ; il paraît tout à fait d'accord, s'engageant même à me « l'amener » le surlendemain. Évidemment, il n'a jamais tenu parole.

Cette fois-ci, Mme Forna a eu une piqûre contraceptive pour trois mois. La reverrons-nous dans trois mois pour le renouvellement de sa piqûre ? Ou dans six mois pour une nouvelle grossesse ? Elle n'a pas demandé d'opération de ligature de trompes. Le chef de service est, de toute façon, opposé à ce type d'opération chez une femme si jeune...

Le psychiatre, qui s'était entretenu assez longuement avec elle en tête à tête, me dira plus tard qu'il a souvent

vu des patientes schizophrènes se prostituer. En tout état
de cause, il pense que Mme Forna pourrait sûrement tirer
bénéfice d'entretiens avec moi, dans la mesure où elle lui
a parlé avec émotion de ses enfants placés — même de
l'aîné, adopté, qu'elle n'a vu qu'une fois à l'accouchement.
Elle est donc capable d'émotions et sans doute d'une certaine élaboration mentale.

Cette histoire laisse, à l'évidence, les soignants dans un
grand désarroi. Nous sommes désarmés parce que nos
outils de travail sont, ici, complètement inadéquats. Cette
patiente est-elle oui ou non toxicomane ? On sait qu'à
l'heure actuelle, la majorité des prostituées sont dépen-
dantes de l'héroïne ; c'est la drogue qui les conduit à la
prostitution et non l'inverse. Le « mac » de Mme Forna
est-il plutôt du genre « ancien proxénète » ou est-il, en
réalité, un dealer ? Je m'en ferai une idée plus claire si je
le revois.

CECI EST UNE NON-HISTOIRE

L A SURVEILLANTE, croisée dans le couloir, me dit, avec
un sourire entendu, qu'une jeune Zaïroise (seize ans,
en principe) vient d'accoucher de jumeaux. « Elle pourrait avoir besoin de vous, poursuit-elle, mais si vous
n'avez pas le temps, elle pourra s'en passer. »

Elle ajoute que cette maman donne en effet, avec une
grande dextérité, un sein à un jumeau, un sein à l'autre ;
mais que ses seins, passablement vergeturés, comme l'est
d'ailleurs son ventre, évoquent davantage le corps d'une
femme de quarante ans que celui d'une jeune mère de
seize ans !

Il paraît clair que cette personne a « emprunté » les

papiers d'identité d'une compatriote. Les mineures enceintes sont, en effet, les seules à être épargnées par le caractère drastique des lois Pasqua, les seules protégées par leur âge, à ne pas risquer d'être reconduites à la frontières dans les meilleurs délais !

Le seul point qui semble gêner la surveillante est que les jumeaux ont donc été déclarés à l'état civil sous un faux nom, celui de la mineure... « Entre deux maux, ajoute-t-elle, c'est sans doute le moindre. » Nous avons ensuite un bref échange sur la situation des réfugiés, en particulier des Africains de la région des lacs dont les médias nous rassasient complaisamment... Pause à la fois comique et revigorante dans cette lourde journée. D'autant que m'attend une autre histoire, une vraie cette fois...

MORT, OÙ EST TA VICTOIRE ?

(histoire de Mme Hassan)

MADAME HASSAN, trente-cinq ans, irakienne, est mère de six enfants. La dernière, une petite fille, est née il y a deux mois, à la Maternité, dans des circonstances tragiques puisqu'un cancer assez avancé avait été diagnostiqué chez sa mère à quatre mois de grossesse.

Le bébé est né un peu prématuré, mais de manière naturelle — l'accouchement n'a pas été provoqué et a eu lieu par voie basse. Il est aujourd'hui en bonne santé. Mais Mme Hassan est de nouveau hospitalisée à la suite d'une nouvelle opération. Elle va mal.

Le cas médical de Mme Hassan avait donné lieu pendant sa grossesse à de nombreuses discussions avec des spécialistes de différentes disciplines (obstétrique, endocrinologie, cancérologie, pédiatrie). Certains avaient argumenté en faveur de l'interruption immédiate de la grossesse (avec féticide) pour tenter de sauver la mère (en commençant la chimiothérapie tout de suite). D'autres avaient préféré tenter de sauver et la mère et l'enfant (quitte à provoquer la naissance dès que le bébé aurait de bonnes chances de vie). C'est cette seconde option qui avait prévalu, d'autant — et surtout — qu'elle rencontrait l'assentiment de ce couple, très religieux[53]. Mme Hassan est très bien soutenue par son mari, pharmacien, et par ses enfants. Sa fille aînée, dix-huit ans, qui est étudiante, s'occupe beaucoup du bébé.

On me dit que Mme Hassan n'est pas tout à fait consciente de la gravité de son état ; je n'en suis pas si sûre... Nous avons, ce soir-là, elle et moi, un long entretien pendant qu'elle attend, perfusée et « monitorée », d'être transportée pour un examen dans un autre bâtiment de l'hôpital. Elle retisse un peu avec moi son histoire depuis son mariage. Lorsqu'elle débarque en France avec son mari, Mme Hassan a vingt ans ; les jeunes époux fuient l'Irak pour des raisons politiques. Puis, la guerre entre l'Iran et l'Irak fait trois morts dans leur famille proche restée au pays. L'embargo consécutif à la guerre du Golfe affame les survivants. Et les racines des Hassan sont en France et tous leurs enfants sont français. On sent néanmoins chez cette femme une profonde blessure liée à ces séparations, à ces deuils, à ce destin final tellement injuste. Mais Mme Hassan reste extraordinairement digne et d'une exquise politesse à l'égard de son entourage.

Peu après, son mari arrive. Nous parlons un peu, puis on vient chercher Mme Hassan. Avant de l'accompagner

---

53. Dans des cas analogues, c'est la première option qui a été retenue. Mais la position (philosophique et humaine) des parents a toujours été longuement discutée avec eux et, le plus possible, respectée.

à l'examen médical, M. Hassan me parle, avec une grande dignité, de sa douleur personnelle : il sait que la fin est proche et me dit qu'il redoute la phase d'agonie. Je comprends à quel point sa femme et lui sont unis dans leur histoire, leurs enfants, leurs loyautés ; avec la mort de sa femme, c'est lui-même qui mourra un peu.

Nous parlons du destin ; M. Hassan me dit qu'il a des sentiments religieux très forts et que cela seul lui permet de ne pas baisser les bras. Il demande simplement qu'on aide sa femme à moins souffrir et à ne pas se rendre compte qu'elle va mourir. Cet homme a « fondu » en quelques mois, me disent les infirmières. Le surlendemain, j'apprends que Mme Hassan est retournée en service de cancérologie pour une nouvelle chimiothérapie. Entre deux séances, elle pourra cependant passer Noël chez elle.

Histoire de Mme Carnac
(s u i t e)

L' AIDE SOCIALE à l'enfance a donné son accord à la solution demandée par Mme Carnac de placer sa fille en pouponnière, puis éventuellement en famille d'accueil. La mère doit venir chercher son bébé mardi prochain pour la conduire à la pouponnière, accompagnée par une assistante sociale. Un grand scepticisme règne dans l'équipe à propos de cette histoire, accompagnée par tous, vaille que vaille, depuis plusieurs mois.

Histoires de Mme Marec
et de Mme Pottier
(suite)

M ADAME MAREC, la jeune femme policier qui fait des fausses couches, a rendez-vous. Elle n'est toujours pas enceinte pour la bonne raison que le médecin lui a conseillé de ne pas tenter une nouvelle grossesse avant qu'on en sache plus sur les raisons de ces fausses couches qui surviennent toutes (cinq en deux ans) au bout du deuxième mois. Elle vit très mal cette situation qui, pour elle, s'éternise. D'autant qu'en ce moment, dans son entourage, toutes les femmes sont enceintes... De plus, son mari et elle donnent à la famille et aux amis l'image d'un couple stérile qui n'arrive pas à avoir d'enfants. La réalité biologique et psychologique est cependant un peu différente : ce couple doit prendre des moyens contraceptifs pour que Mme Marec ne tombe pas enceinte... Au contraire de ce que pense leur entourage, ils sont hyperfertiles ! Paradoxe difficile à gérer...

Devant le désarroi de cette patiente qui, presque par désespoir, est sur le point de tenter une nouvelle conception, j'appelle ma collègue immunologiste. Nous continuons donc la consultation à trois (cela fait partie de notre programme *tender-love-care*). Ma collègue lui réexplique les mécanismes complexes, dont certains ne sont pas connus, qui peuvent rendre compte du fait que l'embryon « ne tient pas ». Elle lui dit que dans quelques mois, elle aura plus d'éléments et lui parle d'une équipe américaine (que notre patiente connaît de réputation), avec laquelle elle collabore, et dont certains résultats vont être connus prochainement.

Mme Marec apprécie, à l'évidence, d'être traitée en

adulte, et non infantilisée comme c'est souvent le cas dans ces protocoles de pointe, les spécialistes pensant, en général, que la recherche est un domaine trop compliqué à comprendre pour les patients. Elle se sent également soutenue par notre tandem thérapeutique.

À l'occasion de cette consultation, ma collègue m'apprend que Mme Pottier, la secrétaire de direction stressée, patiente « symétrique » et inverse du cas précédent, poursuit sa grossesse sans problème. Elle aussi avait fait cinq fausses couches en deux ans.

Histoire de Mme Nguyen
(suite)

N ous avons organisé une réunion inter-équipe (maternité et cancérologie) à propos de l'histoire de la famille Nguyen, afin de mieux coordonner les multiples actions psychologiques et sociales autour de cette patiente, son mari, son bébé (qui est toujours à l'unité des prématurés), sa fille de six ans, et même les grands-parents paternels. Sont présents les psychologues des trois services concernés, ainsi que la collègue du Centre d'évaluation et de traitement de la douleur, le pédiatre, les assistantes sociales, une surveillante et une infirmière. L'importance de la mobilisation de l'équipe autour du cas de cette patiente est, ici, bien visible.

Mme Nguyen semble aller un peu mieux depuis quelques jours. Son mari sera opéré demain, dans le bâtiment voisin de l'hôpital... Cette décision agite les esprits : était-ce le bon moment ? A-t-il bien fait ? Que va penser la fille de six ans du fait que sa mère, son père et son petit frère sont tous hospitalisés, au même moment, dans le même hôpital ? La question de ce qui a été dit à la grande sœur de la maladie de sa mère est également discutée. Certains pensent qu'il ne faut rien lui dire de la mort prochaine de sa mère (il semble que cela ait été l'attitude adoptée par son père). D'autres pensent, au contraire, qu'il faut la préparer, lui expliquer les raisons de la séparation d'avec sa mère (avant celle de la mort), séparation qui risque de se prolonger, d'autant qu'il est question que Mme Nguyen parte la semaine suivante dans un centre spécialisé qui accueille les patientes gravement malades avec leurs bébés.

Je ne connais pas cette petite fille — j'ai seulement vu ses dessins dans la chambre de sa mère et j'en ai entendu parler par les parents et les puéricultrices ; mais je défends le point de vue de l'importance d'une discussion avec elle au sujet de la culpabilité qu'elle a pu ressentir devant la maladie de sa mère — à laquelle elle a été confrontée de manière crue à l'hôpital —, maladie qui s'est située dans le même « temps » que celui de la grossesse et de la naissance du petit frère. Comme tous les enfants, en effet, elle a dû ressentir des sentiments ambivalents face à l'arrivée du futur bébé qui a absorbé sa mère et, en l'occurrence, l'a « rendue malade ». Et cela d'autant plus que Mme Nguyen a vécu une fin de grossesse très pénible : épuisée, pouvant à peine marcher, elle a sans doute quelque peu délaissé sa fille... Puis a eu lieu l'accouchement en catastrophe et l'annonce de la naissance du petit frère (que sa sœur n'a pas vu avant l'âge de quinze jours). Enfin, le non-retour de sa mère à la maison.

Pas besoin d'être grand clerc pour imaginer les sentiments contradictoires et probablement agressifs que cette petite fille a dû avoir vis-à-vis de sa mère et de son frère. Sans parler de sa culpabilité à l'idée de se retrouver seule avec son père, dans un futur qu'elle ne peut pas ne pas pressentir. Un collègue pédopsychiatre, qui rejoint la réunion sur ces entrefaites, dit qu'il partage mon avis, déclenchant un mouvement d'humeur ironique du pédiatre qui dit que « nous, les psy », nous prêtons aux enfants des sentiments qu'ils n'ont pas forcément. La psychologue du service de cancérologie, qui suit régulièrement le mari de Mme Nguyen, semble en tout cas avoir bien entendu le message.

Le groupe de parole
sur le « deuil périnatal »
(suite)

L A PAROLE circule principalement, ce soir, autour de l'histoire du couple Lefèvre. Ces jeunes parents ont perdu récemment leurs premiers enfants, deux vraies jumelles nées prématurées et mortes quelques heures après la naissance, alors que la grossesse s'était déroulée de façon parfaitement normale. Les Lefèvre sont venus accompagnés par l'obstétricien de la clinique où la grossesse de la mère avait été suivie et d'où elle avait été transférée au moment de l'accouchement vers un autre hôpital doté d'une unité de néonatalogie pour grands prématurés.

Ce couple d'intellectuels a beaucoup réfléchi sur l'aspect symbolique des réactions de leur entourage et de la société au drame qu'ils ont vécu (ce, indépendamment de leur chagrin sur lequel il est inutile d'épiloguer). Ils insistent, en particulier, sur le fait qu'ils ont rencontré les plus grandes difficultés pour faire entendre leurs souhaits quant à la manière de traiter les corps de leurs bébés.

Tout d'abord, avec le responsable de la morgue de l'hôpital qui semble avoir eu une attitude inutilement tatillonne, voire désagréable, avec le jeune père.

Ensuite, avec l'employé de la mairie auquel ce dernier a expliqué que sa femme et lui souhaitaient *un seul* cercueil pour les deux bébés ; sortant du même œuf et ayant vécu ensemble la vie intra-utérine, il semblait normal aux parents de les enterrer ensemble. Or, nous raconte M. Lefèvre, le fonctionnaire municipal, feuilletant son Code avec componction tandis que, derrière le père, la file de gens attendant commençait à s'impatienter, lui a répondu que la loi autorisait un seul cercueil uniquement dans les cas où la mère mourait en couches avec un bébé mort-né... Le couple a donc dû déposer une demande auprès du procureur de la République. Celle-ci a été acceptée, mais au prix de quelles tracasseries et de quelles souffrances inutiles !

Puis, il leur a fallu affronter les pompes funèbres qui leur proposaient une inhumation dans un cimetière avec une tombe et une plaque, ce qu'ils ne voulaient à aucun prix. Ils sont finalement arrivés (en réalité, c'est le papa qui a dû se colleter toutes ces démarches, sa femme étant encore hospitalisée ; et il semble aujourd'hui très atteint) à obtenir l'incinération du cercueil des bébés. Après quoi, ils sont partis dans un lieu connu d'eux seuls et ont dispersé les cendres de leurs enfants [54].

Les Lefèvre ajoutent qu'ils ont, en revanche, beaucoup apprécié l'attitude très humaine et très professionnelle de l'employé de l'état civil qui est entré dans la chambre de la mère, à l'hôpital, et a simplement demandé : « Quels sont les prénoms de vos filles ? » donnant ainsi acte aux parents, par cette seule phrase, de la vie et de la mort de leurs enfants. Il a ensuite dressé l'acte de naissance, puis l'acte de décès des bébés, et les a inscrits sur le livret de famille des parents.

La loi reconnaît par là l'inscription de fait de ces enfants dans une généalogie familiale. Ce souci du législateur a tenu compte de ce que l'on sait maintenant du deuil périnatal : pour que le deuil puisse se faire, il

---

54. À titre informatif, il est intéressant de savoir que l'incinération leur à coûté trois mille cinq cents francs, ce qui ne rend pas cette possibilité accessible à tous. Face au deuil périnatal, il vaut mieux — comme dans d'autres cas — être riche que pauvre...

importe de rattacher l'enfant à une généalogie et de lui reconnaître pleinement sa qualité d'être humain[55]. Il importe également qu'il y ait une trace, une inscription dans l'histoire familiale. Le psychisme humain s'accommode mal, en effet, de blancs, de trous. Il est bien difficile de faire son deuil à partir de « rien ». Cette trace peut être une tombe, une urne, une inscription sur le livret de famille, voire une simple mention (dans le registre du cimetière par exemple[56]).

Ce soir-là, ce que le couple Lefèvre a dit a motivé davantage encore les soignants présents pour poursuivre leur action, essayer de faire avancer les mentalités et tâcher d'ébranler les résistances tant humaines qu'administratives rencontrées dans la prise en charge des décès périnatals.

Six semaines plus tard, l'obstétricien qui avait accompagné ce couple à la dernière réunion du groupe, nous a donné des nouvelles des parents. « Ils vont mieux », nous a-t-il dit en apportant la lettre qu'ils avaient expédiée d'un pays « sous les cocotiers ».

---

55. Il faut ici rappeler qu'une loi récente, du 9 janvier 1993, a modifié de façon très intéressante les conditions de déclaration des enfants nés morts : à partir du moment où la grossesse a duré plus de cent quatre-vingts jours et si le fœtus pèse plus de cinq cents grammes, on dresse un « Acte d'enfant déclaré sans vie » (Art. 79-1 du Code civil). J'y reviendrai plus loin.
56. À défaut d'inscription à l'état civil (pour les petits fœtus qui ont moins de cent quatre-vingts jours de gestation), l'inscription dans le registre du cimetière est extrêmement importante, comme l'a montré l'expérience menée avec la municipalité de Lille (cf. le chapitre du docteur Maryse Dumoulin, *in Diagnostic prénatal*, Paris, ESF, 1996).

Accoucher ou non « sous X »

(histoire de Mlle Évrard)

E N FIN DE JOURNÉE, j'ai un entretien avec une jeune femme, Mlle Évrard, âgée de vingt-trois ans, qui a accouché anonymement il y a quelques jours. Je suis allée la voir après que les puéricultrices m'eurent dit que cette mère passait ses journées « le nez au carreau », regardant sa fille depuis le couloir de l'unité des prématurés réservé aux visites autres que celles des parents (ce couloir est vitré, mais ne permet pas d'entrer dans l'unité). C'est là que je rencontre Mlle Évrard, perdue en contemplation devant sa fille à laquelle une puéricultrice donne le biberon. Elle me dira plus tard qu'elle préférait ne pas entrer, de crainte que cela rende encore plus déchirante la séparation future.

Son histoire, résumée, est la suivante : Mlle Évrard est née en France de père français et de mère algérienne (elle a la nationalité française, et un bac plus deux). Il y a encore un an, elle vivait dans un petit appartement à Paris et avait un travail. À Noël dernier, elle a voulu aller voir sa mère, gravement malade, en Algérie. Mais elle n'a pas pu revenir après les quinze jours qu'elle avait prévu de passer là-bas : les autorités algériennes lui ont confisqué ses papiers et l'ont physiquement empêchée de rentrer en France. Cinq mois plus tard, après de nombreuses démarches, Mlle Évrard a pu se libérer. Mais, à l'arrivée, elle avait perdu et son travail faute d'avoir donné de nouvelles, et son appartement faute d'avoir payé son loyer. Elle habite actuellement dans une petite chambre qu'elle a pu louer avec les économies qui lui restaient, mais n'a pas retrouvé de travail.

Cette jeune fille s'est retrouvée enceinte à la suite d'un viol perpétré par un homme qui l'avait raccompagnée après une soirée un peu arrosée. C'était son premier rapport sexuel. Mlle Évrard s'est rendu compte de sa grossesse assez tard et, me dit-elle, n'a pu envisager d'élever son enfant dans un foyer maternel, et sans père ; elle qui a eu une enfance heureuse et choyée. Elle s'est donc résolue à l'accouchement anonyme. Elle a été suivie pendant la fin de la grossesse par l'Association Moïse, qui nous l'a adressée.

Mlle Évrard est, à l'évidence, très bouleversée par le consentement à l'adoption qu'elle s'apprête à signer dans deux mois, selon la loi [57]. Mais elle y a longuement réfléchi et pense que c'est la moins mauvaise des solutions. Surtout, dit-elle, pour ce bébé qui aura sûrement plus de chances dans la vie, avec des parents aimants, que ballotté de foyer en foyer, avec une mère au chômage, et sans père. Quant à elle-même, Mlle Évrard dit espérer avoir plus tard des enfants dans des conditions « normales ».

On peut remarquer ici le discours répétitif, quoique sincère et cohérent, que nombre de futures mères enceintes dans des conditions précaires sont amenées à tenir. Ce qui est peut-être moins cohérent, c'est que la réponse de la société soit monolithiquement, et de manière non moins répétitive, celle qui promeut comme « moins mauvaise solution » le système « accouchement anonyme (c'est-à-dire « abandon anonyme ») plus consentement à l'adoption ». Comme s'il n'y avait rien d'autre à envisager.

---

57. Le délai de rétractation a été successivement de six mois, puis de trois mois ; il est, depuis la réforme récente de la loi sur l'adoption (juillet 1996), de deux mois. Ce point a été âprement discuté par l'Assemblée nationale et le Sénat. Jean-François Mattei voulait réduire ce délai à un mois, tandis que la famille politique de « gauche » voulait le laisser à trois mois. Il existe de nombreux enjeux idéologiques derrière ce type de mesures ; cf. l'analyse que j'en ai faite dans *Enfant de personne*, Paris, Odile Jacob, 1994.

Et le tour[58] est joué, pourrait-on dire...

Mlle Évrard m'interroge sur le devenir des enfants adoptés, en particulier sur ce qu'ils pensent de leur mère d'origine. Elle me dit qu'elle a préféré ne pas laisser son nom en accouchant, car elle a trop peur d'être jugée (méprisée ?) par son enfant si celui-ci la retrouve plus tard.

Je lui indique, puisqu'elle me le demande, et parce que je pense que c'est de nature à l'aider à faire le deuil de son enfant, ce que j'ai tiré de mon expérience professionnelle sur cette question. À savoir que la plupart des enfants abandonnés, et adoptés par la suite[59], éprouvent un grand regret de ne pas pouvoir dire « merci » à la mère qui leur a donné la vie. À cette mère qui aurait pu avorter et qui a préféré mener à bien une grossesse et un accouchement. À cette mère qui a eu le courage de les lancer dans la vie avec de meilleures possibilités que celles qu'elle-même pensait pouvoir leur donner. À cette mère, enfin, qui n'a même pas osé les « encombrer » avec son identité...

Je dis aussi à Mlle Évrard que ces enfants adoptés devenus adultes ont souvent une envie très forte, et qui leur semble légitime, de savoir quelles sont exactement les circonstances qui ont conduit leur mère (et peut-être leur père ?) à les laisser à d'autres parents. Qu'ils se disent en général prêts à comprendre (et à pardonner), mais qu'ils veulent savoir *pourquoi* ils ont été abandonnés. J'ajoute que toutes les informations sont importantes à laisser dans le dossier qui sera peut-être consulté par l'enfant à sa majorité, ou bien plus tard.

Mme Évrard me dit qu'elle souhaite laisser une lettre à sa fille, mais elle ne sait pas bien comment la rédiger.

---

58. Ce qui se passe dans ce système bien verrouillé est en vérité l'équivalent du « tour » du XVIIIe siècle dans lequel on déposait les enfants abandonnés. Il ne s'agit pas ici d'un simple jeu de mots.
59. Et surtout, paradoxalement, si leur histoire d'adoption s'est bien passée.

Comme elle quitte l'hôpital le lendemain, nous convenons d'un rendez-vous ultérieur au cours duquel je l'aiderai à rédiger cette lettre. Pour terminer, je lui indique un changement important dans les termes de la nouvelle loi sur l'adoption de juillet 1996 : une mère qui a donné son identité assortie de la demande de secret de l'état civil, peut désormais, à tout moment, même des années plus tard, décider de le lever et faire ainsi savoir à l'Aide sociale à l'enfance son désir que l'on communique son identité à son enfant, au cas où celui-ci, après sa majorité, en ferait la demande.

Puis, je la raccompagne dans la chambre qu'elle partage avec trois autres personnes (l'une vient d'accoucher, les deux autres sont là pour une interruption volontaire de grossesse). Aucune de ses trois compagnes de chambre ne sait, me dit-elle, qu'elle va abandonner son enfant ! Mlle Évrard, en plus d'être « X », est déjà enfermée dans le secret.

Avant de partir, me dira une puéricultrice quelques jours plus tard, la maman est entrée à l'unité des prématurés, a pris son bébé quelques minutes dans les bras, lui a dit au revoir, et est partie en sanglotant.

Histoire du couple Lambert
(suite)

J'AI DES NOUVELLES des Lambert, ce couple qui éprouvait des difficultés sexuelles procréatives. Ils vont commencer les inséminations avec le sperme du mari (IAC). M. Lambert devra donc se masturber au laboratoire et apporter dans les trois heures, à la température du corps, son sperme lavé, traité, préparé et conditionné en une petite paillette (sa femme peut également, si elle le souhaite, assurer le transport). Le gynécologue pratiquera alors une insémination intra-utérine.

Un mois plus tard, à la première insémination, Mme Lambert est (comme prévu) devenue enceinte. Pour M. Lambert, le problème semble ainsi résolu. Mais on dirait que les choses sont moins simples pour sa femme...

Histoire de Nour
(s u i t e)

N OUR ARRIVE en arborant un sourire que je ne lui avais jamais vu. Elle m'apporte un de ses poèmes en anglais. Et me raconte, en jubilant, l'exploit d'une amie zaïroise du foyer qui vient de téléphoner d'un pays étranger où elle est arrivée cette nuit avec un faux passeport acheté à un passeur[60].

Nour voudrait gagner de l'argent, car elle brûle d'imiter son amie. Par honnêteté, elle a refusé un emploi de baby-sitter d'un nourrisson : elle a dit aux parents qu'elle était séropositive ; ils ont alors refusé de lui laisser la garde du bébé. Mais, la solidarité aidant, elle vient de trouver, pour un mois, un emploi de garde-malade d'une personne âgée, jour et nuit, dimanches et jours fériés compris. C'est un bon début.

Le mois suivant, l'assistante sociale du foyer m'apprend que cela se passe plutôt bien pour Nour à son travail : elle doit même rester quinze jours de plus chez la dame en question où elle joue le rôle de « doublure » parfaite de la compatriote, la garde-malade officielle, qui a pris des vacances ; au point que sa patronne l'appelle du prénom de l'autre ! Nour devrait donc commencer sérieusement à amasser le pécule nécessaire à l'achat d'un faux passeport. Le hic est que la compatriote a, apparemment, l'intention de prélever une « commission » sur le salaire

---

60. Pour dix mille francs tout compris : passeport, billet d'avion et accompagnement à l'aéroport. Je ne sais si le service après-vente est inclus...

de Nour qui ne lui sera donc pas versé directement...
Espérons que cette dernière saura se défendre. Mais que
c'est dur de devoir toujours lutter quand la marge de
manœuvre est étroite !

Histoire de Mme Lenoir
(s u i t e)

L ONGUE CONSULTATION mère/bébé avec Mme Lenoir et
Aline : la maman donne le sein à sa fille. Le bébé
s'éveille bien. Je continue à lui parler et je lui raconte ce
que je sais de l'histoire de la vie de sa famille, propos que
sa mère scande en ajoutant des détails.

Le second compagnon de Mme Lenoir (le père de son
fils de huit ans) fait alors irruption dans mon bureau.
Il dit qu'il vient chercher sa compagne. C'est un homme
élégant, rasé de près ; il sort de l'ANPE, me dit-il. Il veut
visiblement participer à ce qui se passe. Légèrement prise
de court — ce n'est pas lui le père du bébé ! —, je le félicite pour sa présence auprès de ce bébé... Il me dit
qu'Aline est très belle et qu'il aurait bien aimé avoir une
fille. « Dommage qu'elle ne soit pas de moi », conclut-il...

Histoire de Mme Long
(s u i t e)

J' AI DES NOUVELLES de Mme Long. En mon absence, elle
est venue voir l'assistante sociale qui s'est donné
beaucoup de mal pour lui trouver une place dans un
foyer pour femmes enceintes. Mme Long se plaignait une
fois de plus du fait que son Bosniaque la maltraitait ; et
il faisait très froid en décembre ! Mais, à la dernière
minute, elle a refusé de se rendre au foyer. La peur d'être

173

enfermée, a-t-elle dit une fois de plus ! Quand on lui a répété qu'elle pouvait être hospitalisée à la Maternité à tout moment et ce, jusqu'à la fin de sa grossesse, Mme Long, un peu penaude, a répondu qu'elle reviendrait en janvier... Elle sera alors dans son septième mois de grossesse ! « Liberté, liberté chérie, j'écris ton nom »...

Nous avons, l'assistante sociale et moi, une discussion philosophique sur la nature qui fait naître de superbes bébés chez des mères dont la grossesse se passe dans des conditions horribles, alors que d'autres, surprotégées, choyées, donnent, elles, naissance à de petites « crevettes »...

Histoire de Mme Carnac
(suite)

MADAME CARNAC a demandé à me voir. Elle est à nouveau hospitalisée pour des problèmes urinaires. La collègue qui l'a vue en mon absence m'a dit qu'elle avait l'air très désemparée vis-à-vis de sa fille, placée chez une nourrice. La maman va voir le bébé trois fois par semaine, mais trouve que cette dame ne traite pas bien Aurélie : elle dit qu'elle est obligée de la laver elle-même et que la nourrice ne parle pas gentiment à sa fille.

Est-ce une façon défensive de se rassurer sur son identité maternelle ? Même s'il y a une part de vérité dans ce qu'elle raconte, il est évident, en effet, que Mme Carnac ne peut que critiquer cette femme qui lui « vole » en quelque sorte sa maternité.

Histoire de Mme Nguyen
(f i n)

M ADAME NGUYEN est morte chez elle, à l'occasion de son unique retour à la maison. On me dit que c'est ce qu'elle souhaitait. « C'était mieux pour ses enfants », commentent les puéricultrices qui l'ont bien connue.

Histoire de Safia
(s u i t e)

S AFIA vient me présenter son fils, Richard, qui a maintenant six mois. C'est un superbe bébé à la peau claire ; il a le regard aussi vif et curieux que le jour de sa naissance. En lui donnant le biberon je lui réexplique son parcours depuis que je suis sa mère, au début de sa grossesse. Tout va bien pour Safia et pour son fils : ils vivent dans un foyer pour mères célibataires où la maman pourra rester jusqu'aux trois ans de Richard ; ce dernier va à la crèche depuis quelque temps. Pendant ce temps-là, Safia règle ses affaires et commence à chercher du travail.

Nous épiloguons en équipe sur l'histoire de Safia : la sage-femme qui l'a rencontrée la première fois commente, avec un zeste d'incrédulité : « C'est un cauchemar qui a l'air de se terminer en conte de fées. » Espérons-le...

Histoire de Nour
(f i n)

N OUR ME TÉLÉPHONE de la ville de province où elle s'occupe toujours, vingt-quatre heures sur vingt-quatre, d'une dame âgée. Elle fait ainsi des économies pour son projet de départ.

Deux mois plus tard, elle a gagné une somme suffisante pour acheter un passeport étranger impeccable, avec sa propre photo, ses mensurations, etc. Elle a pu également payer une partie du prix de son billet d'avion aller-retour. Mais il n'y aura pas de retour, espérons-le... Un petit groupe de soutien a complété la somme.

Hélas, le scénario ne s'est pas déroulé comme prévu. Le « passeur » (vendeur du faux passeport) s'est comporté en « parfait truand » vis-à-vis de Nour. Celle-ci a été arrêtée à la frontière du pays étranger d'où elle allait s'envoler pour rejoindre son frère. J'apprends qu'elle est de nouveau en prison et qu'elle a dû demander l'asile politique. Très dure fin d'histoire. Pour Nour ; mais aussi pour tous ceux qui l'ont soutenue. Mais tout n'est pas terminé : son frère se mobilise et a créé un comité de soutien...

Histoire de Mme Hassan
(s u i t e)

APRÈS AVOIR passé Noël chez elle, Mme Hassan a fait une nouvelle rechute. Elle a dû être hospitalisée au « pavillon des cancéreux », voisin de celui de la Maternité, pendant trois semaines. Elle est ensuite revenue chez elle. Puis, en février, l'équipe de la Maternité l'a vue revenir dans le service, admise à sa demande expresse. Un programme de soins palliatifs a été immédiatement mis en place, ce qui l'a considérablement soulagée.

J'ai pu ainsi parler avec elle, son mari et sa fille, assez tranquillement pendant la semaine qu'elle a passée chez nous. À ma question sur la raison qui lui avait fait demander d'être hospitalisée en Maternité, là même où elle avait accouché de sa fille six mois auparavant,

Mme Hassan me répond en souriant qu'elle avait fait un rêve la nuit précédente et qu'après en avoir parlé en famille, ils ont téléphoné au chef de service en lui demandant qu'elle soit hospitalisée à la Maternité.

Voici son rêve : trois femmes habillées en noir parlent, d'un ton préoccupé, autour du lit où Mme Hassan est allongée, très malade (ces trois femmes sont clairement, me dit-elle, l'obstétricienne qui l'a suivie depuis sa première hospitalisation, la sage-femme qui était présente à son accouchement et l'anesthésiste qui l'a aidée depuis le début à supporter la douleur et qui a mis en place les soins palliatifs actuels). La porte s'ouvre et un homme très grand, habillé de blanc (c'est le chef de service, me dit la rêveuse, sauf que d'habitude il est habillé de bleu), entre, souriant, et dit à Mme Hassan : « Venez ici et vous guérirez. »

Les jours suivants, j'ai eu l'occasion de parler de nouveau de ce rêve avec M. Hassan ainsi qu'avec leur fille aînée, étudiante de dix-neuf ans. Ils m'ont tous les deux dit que, dans la vision du monde très religieuse qui est la leur, il existe une interprétation prémonitoire de certains rêves. Certains des rêves que Mme Hassan a faits se sont déjà réalisés. Et nous comparons, en plaisantant, leur interprétation des rêves avec celle proposée par la psychanalyse...

Il faut ici se garder soigneusement de tout ethnocentrisme qui donnerait du rêve de cette mère une vision naïvement réductrice. N'oublions pas que la culture de cette famille, irakienne de nationalité et musulmane de confession, se situe dans le droit fil de l'antique et brillante civilisation de Mésopotamie, née au tournant du IVᵉ au IIIᵉ millénaire et dont il reste un demi-million de documents déchiffrables. Jean Bottéro, qui les a en grande partie déchiffrés, écrit : « Aux yeux de ces gens-là [les habitants de Mésopotamie ancienne], *tout* dans le

monde était divinatoire ; et les songes comme le reste [61]. »
On voit notamment, dans le code de déchiffrement qu'il
donne du système oniromantique, le rôle de recours
contre le mauvais sort qui est prédit par les rêves. Revenant au cas de Mme Hassan, il semble clair, en effet, que
cette mère ne pense pas vraiment guérir (encore que...) ;
mais ce rêve a peut-être aidé la famille à élaborer le passage tragique de la naissance du bébé à la mort de la
mère.

Les quelques jours que cette patiente a passés dans le
service ont donc été plutôt sereins. À la fin de la semaine,
nous nous demandons, en équipe, où Mme Hassan se
sentirait le mieux pour mourir : ici ou chez elle. À mots
discrets, cette question est posée à la famille. Le retour
de Mme Hassan chez elle est finalement décidé, l'anesthésiste ayant mis en place une continuité des soins palliatifs
à domicile avec un suivi téléphonique personnel de sa
part. M. Hassan nous dit qu'il serait plus rassuré si sa
femme restait à l'hôpital, mais il se range au souhait de
cette dernière et de ses six enfants qui l'attendent à la
maison. Il est clair que Mme Hassan peut à tout moment
revenir dans le service si elle le souhaite.

Une infirmière commente : cela ressemble à l'histoire
de Mme Nguyen — une belle fin, malgré toute la tristesse.

Histoire de Mme Long
(suite et fin)

FIN JANVIER, je trouve, devant la porte de mon bureau,
Mme Long qui m'attend. Elle est enfin hospitalisée !
Non pour accoucher, cependant. Elle est arrivée dans un
car de police, après avoir porté plainte contre son compa-

---

61. J. Bottéro, *Mésopotamie. L'écriture, la raison et les dieux*, Paris, Gallimard, 1987, p. 133-169.

gnon bosniaque qui l'avait de nouveau sérieusement tabassée. Sa grossesse est presque à terme et le bébé (une petite fille) semble aller toujours bien. Nous parlons de la procédure d'accouchement « sous X » et surtout du fait qu'elle ne souhaite pas voir le bébé après l'accouchement. Il ira donc à l'unité des prématurés, où sa mère pourra toutefois le voir si elle le désire.

Deux semaines plus tard, Mme Long n'a toujours pas accouché (on doit déclencher l'accouchement dans quarante-huit heures si rien ne se passe, car le terme sera alors dépassé). Mais tous les soignants qui s'occupent d'elle nagent dans un certain désarroi... Au fil des jours, en effet, Mme Long se met à tricoter de la layette rose et nous tient (à la sage-femme de l'étage, à l'assistante sociale, au médecin accoucheur et à moi-même) des propos assez confus d'où il ressort tout de même qu'elle envisage de renoncer au projet d'adoption pour le bébé. Elle et le géniteur bosniaque, qui se découvre un soudain intérêt pour cette future petite fille, veulent donc la garder ! Celui-ci vient d'ailleurs presque tous les jours voir Mme Long qui lui conserve la moitié de son repas et lui donne de l'argent pour s'acheter des cigarettes et à boire, car tout le RMI de ce dernier « passe en PMU », dit-elle. Ce « monsieur bosniaque » — c'est ainsi que Mme Long l'appelle ; elle lui dit d'ailleurs « vous » et lui aussi, paraît-il — annonce qu'il va aller reconnaître l'enfant à la mairie et fait honte à Mme Long de vouloir abandonner son enfant...

Pour moi qui, depuis des années, m'élève avec vigueur contre la procédure non éthique de l'accouchement anonyme, le malaise vient du fait que je m'entends plaider avec fougue l'intérêt de l'accouchement « sous X ». Il permet à une femme, mariée ou non, d'annuler la reconnaissance en paternité du père ; ce tour de passe-passe est en fait un abandon anonyme qui rend la reconnaissance du père — et ce, même s'il s'agit du mari de la mère — vide de sens et de contenu, puisqu'il concerne une mère et un enfant qui n'existent pas. La Maternité, l'état civil ne connaissent pas cette mère, elle n'a pas accouché : c'est le sens même du « X [62] ». Une femme mariée peut ainsi, aussi incroyable que cela puisse paraître, accoucher d'un enfant de son mari à l'insu de ce dernier, et lui voler sa paternité...

Si je plaide cette cause devant Mme Long, c'est parce que ce projet de consentement à l'adoption a été patiemment élaboré avec elle au cours de sa grossesse, compte tenu des circonstances bien particulières de la conception du bébé et de la vie de la mère. Un travail psychologique est en cours depuis plusieurs semaines, qui consiste à revaloriser Mme Long comme « une mère qui a mené à terme une grossesse dans des conditions périlleuses ». Je devais notamment préparer avec elle une lettre pour le futur enfant qui lui expliquerait les raisons du consentement à l'adoption donné par sa mère de naissance.

L'apparition du géniteur a donc quelque peu modifié la donne, l'objectif étant désormais de laisser Mme Long prendre sa décision sans pression d'aucune sorte. L'assistante sociale me dit que c'est peut-être l'allocation de parent isolé (quatre mille francs par mois) que pourrait toucher Mme Long qui a réveillé la fibre paternelle du « monsieur bosniaque »...

Un soir, me raccompagnant à la porte après un des entretiens assez denses et quelque peu épuisants que j'ai régulièrement avec elle tandis qu'elle tricote et que j'arpente la chambre de long en large, Mme Long me dit, avec un sourire désarmant : « Vous savez, je suis une per-

---

62. Cette loi, votée le 8 janvier 1993, assez insensée et unique dans le monde, a été, inutile de le préciser, défendue avec vigueur et ténacité par un député et ministre, qui se situe dans la tradition du féminisme le plus radical.

sonne assez compliquée. Pardonnez-moi le souci que je vous cause. Après tout, je ne suis qu'une simple mortelle[63]. » Ah ! Bon...

Quelques jours plus tard, enfin, Clara se décide à naître : c'est un bébé dodu, blond aux yeux clairs, placide et souriant, comme si elle sortait d'un « endroit » calme et tranquille... Les fantasmes de certains des membres de l'équipe sur la vie intra-utérine sont quelque peu sollicités et bousculés à cette occasion : l'histoire de la vie de Clara *in utero* signifie-t-elle que les bébés « vivent leur vie » dans le ventre de leur mère, quelles que soient les circonstances extérieures et les tempêtes qui agitent les esprits et les corps des adultes[64] ?

Le lendemain de l'accouchement, avant même que je n'arrive dans sa chambre, sages-femmes et puéricultrices me donnent leur sentiment sur la manière dont Mme Long se comporte avec sa fille. J'entends ainsi, en l'espace de quelques minutes, tout et son contraire : « C'est une mère parfaitement adéquate, elle s'occupe très bien de son bébé » ; « Elle tient le bébé à bout de bras, ne sait pas comment répondre à ses pleurs, se demande comment on fait avec une fille, car elle n'a eu que des garçons jusqu'à présent »... Ma perplexité s'accroît... Décidément, je ne suis, moi aussi, qu'une simple mortelle !

Les choses ne s'arrangent pas pour moi dans les instants qui suivent. Un homme de stature impressionnante m'attend en effet dans le couloir ; c'est le « monsieur bosniaque », qui m'apostrophe en ces termes : « C'est vous la psychanalyste qui poussez les mères à abandonner leurs

---

63. Elle sous-entendait, comme elle le faisait souvent, que, moi, j'étais psychanalyste, censée appartenir à un autre monde ! Mais ces propos n'étaient pourtant pas dépourvus d'une certaine ironie !
64. La réponse la plus fiable à cette question serait sans doute à trouver dans l'étude fine de la future vie d'adulte (et de mère) de Clara. Ce qui ne se fera sans doute pas... Ainsi va la vie. Au moins, tant que l'ectogénèse (grossesse menée entièrement *in vitro*) n'existera pas. Ce qu'à Dieu ne plaise !

enfants ? » Mal commencé, l'entretien se poursuit à quatre dans des conditions un peu plus calmes, passionnantes même, pendant presque deux heures, dans le bureau de l'assistante sociale.

Il en ressort que, parfaitement conscient de cette paternité qu'il dit vouloir assumer, le père va reconnaître le bébé à la mairie. Concrètement, il sait que sa fille ira dans une pouponnière jusqu'à ce qu'une famille d'accueil soit trouvée. Il sait aussi qu'un juge des enfants va être saisi et qu'il pourra seulement aller voir sa fille à des jours précis jusqu'à ce que le juge estime que les parents sont aptes à la reprendre. Ce qui ne semble pas envisageable avant de longs mois, voire des années. Dur et sinueux est, en effet, le chemin de la « réinsertion » quand on est sans travail, sans logement, étranger de surcroît (le père a le statut de réfugié politique). Comme le dira, plus tard, l'assistante sociale, c'est « une tête de pioche », au demeurant un homme fort intelligent, cultivé et non dépourvu de charme...

Nous avons eu, en tout cas, en face de nous, au cours de cet entretien, un « vrai couple » qui se disputait selon le scénario de la classique « scène de ménage », trame complexe sur fond de relations sado-masochistes.

Quand je revois Mme Long, seule, quelques heures plus tard, elle me dit : « Je vous avais bien dit que ce monsieur était très intelligent. C'est à lui que vous auriez dû apporter votre aide, non à moi. »

Comme on l'a sans doute constaté, mes positions contre-transférentielles ont été passablement malmenées au cours de cette prise en charge ! J'ai tenté d'adopter l'attitude la plus éthique possible, en respectant l'intérêt des trois protagonistes de l'histoire : l'enfant d'abord, la mère ensuite, le géniteur enfin qui s'est, *in fine*, défini comme père.

Nobody is perfect...

Quinze jours plus tard, je trouve Mme Long à la porte de mon bureau. Elle me tend un cadeau (à boire) pour toute l'équipe. Elle me dit qu'elle nous est infiniment reconnaissante de l'avoir accompagnée pendant toute la durée de sa grossesse, et d'avoir supporté héroïquement ses atermoiements et ses doutes (ce sont, à peu de choses près, ses propres mots). Elle est retournée vivre dans son box avec son Bosniaque. Maintenant qu'elle n'a plus son gros ventre, elle fait un peu de ménage. « Je viens de passer le balai partout », me dit-elle. Elle se reprend aussitôt : « Passer le râteau, je veux dire... »

Clara est un superbe bébé blond aux yeux bleus, elle est calme, détendue, elle dort paisiblement à l'étage en dessous : elle restera chez nous, à l'unité des prématurés, jusqu'à ce qu'elle parte dans une famille d'accueil. Son père l'a reconnue et elle porte son nom ; Mme Long, quant à elle, ne l'a pas encore reconnue... Elle me dit être un peu agacée que Clara ait le nom de son père ; et l'idée de rajouter son propre nom à celui du Bosniaque ne lui plaît pas tellement... J'imagine, non sans une certaine mélancolie, un scénario où Clara aurait de temps en temps les seules visites de son père, Mme Long ayant disparu de l'histoire de sa fille jusqu'à la trace même de son nom. Répétition, quand tu nous tiens...

En attendant, nous passons, elle et moi, un long moment à observer Clara à travers la vitre du couloir de l'unité des prématurés. Mme Long me dit que, ce soir, elle préfère ne pas entrer « pour ne pas déranger ». Tant mon insistance que les sourires des puéricultrices de l'autre côté de la vitre sont inefficaces pour la faire changer d'avis.

Mme Long revient quelques jours plus tard me parler : elle me dit que, sur mes conseils, elle a téléphoné à sa mère (qui élève deux de ses fils, douze et quatorze ans) pour lui annoncer la naissance de Clara et tâcher de parler à ses fils. Mais cette dernière lui a fait une leçon de morale et lui a conseillé de ne pas « pointer le bout de son nez », sinon ce sera comme la dernière fois, a-t-elle ajouté (accueil avec un billot de bois [65] !). La dite mère a raccroché le téléphone et, du coup, Mme Long ne sait même pas si ses fils ont su qu'une petite sœur était née. D'un air un peu triste Mme Long ajoute que toute cette histoire remonte, comme elle me l'avait dit, au fait que, depuis sa naissance, sa mère l'avait toujours rejetée, qu'elle préférait son frère, âgé de un an de moins qu'elle. Sa mère ne voulait pas de fille, lui avait-t-elle martelé pendant toute son enfance...

Mme Long, pour sa part, n'a eu jusqu'à présent, avant Clara, que des garçons (trois), et, à l'évidence, la naissance de cette petite fille la rend perplexe. Le pédiatre me dit qu'il n'a jamais vu de mère qui, à l'instar de Mme Long, voie uniquement, dans le bébé, le bébé sexué. Mme Long me parle d'ailleurs de ce corps féminin qu'elle devine en Clara... Et ajoute que le destin des femmes, c'est dur, dangereux (elle fait allusion aux viols dont la presse fait état constamment ces dernières semaines). Et à son destin à elle...

L'histoire de Mme Long semble verrouillée : elle ne peut ni garder et élever sa fille, ni non plus l'abandonner.

Comble du paradoxe : Clara aura seulement une filiation paternelle, car Mme Long n'est vraiment pas décidée à reconnaître sa fille à l'état civil. Elle aura une fois de plus réussi à « se gommer » totalement de l'histoire de ses enfants. Masochisme, quand tu nous tiens...

---

65. Voir, p. 31-34, le début de l'histoire de Mme Long.

Histoire de Mme Hassan
(s u i t e   e t   f i n)

M ADAME HASSAN est finalement revenue mourir chez
nous : quelques jours avant sa mort, elle a de nouveau été très mal et a demandé à être hospitalisée à la
Maternité. Toute l'équipe les a soutenus jour et nuit, elle
et son mari. Cette famille a gardé jusqu'au bout une
extraordinaire dignité. Mme Hassan est morte sans trop
souffrir physiquement (grâce au talent de l'anesthésiste
en matière de soins palliatifs), mais sa souffrance morale
de devoir abandonner ses enfants, surtout les plus petits
(le bébé né à la Maternité, âgé de six mois, et les trois
suivants, trois ans, cinq ans, huit ans) était boulever-
sante. Les deux infirmières présentes au moment de sa
mort ont fait, les nuits suivantes, des cauchemars dans
lesquels des petits enfants les poursuivaient...

La chambre de Mme Hassan n'a pas été réoccupée pendant plusieurs jours (en dépit de la règle administrative
qui prévoit que lorsqu'un patient meurt, un autre puisse
le remplacer dans son lit deux heures après le décès du
premier !). Règle qui constitue une négation des liens très
forts, qui, au fil des mois, se sont tissés entre les patients
et les soignants, comme l'a bien montré l'histoire de cette
famille.

Certains d'entre nous ont revu M. Hassan, effondré. Il
dit qu'aucun des enfants ne s'attendait à la mort de sa
mère. Que lui, leur père, leur avait dit qu'elle guérirait,
car il pensait que la maladie (et la mort possible) était
une affaire entre sa femme et lui, un problème qu'ils
devaient affronter en couple, comme ils l'avaient fait
dans toutes les difficultés qu'ils avaient tous les deux.

Tous les enfants (peut-être moins l'aînée, dix-huit ans,

absorbée par sa mission de délégation maternelle, en particulier vis-à-vis de sa petite sœur de six mois) sont en état de sidération. Les effets du déni sont décidément bien complexes et douloureux.

La maternité saisie par la médecine
et par la loi

JE VOUDRAIS éviter de donner une conclusion dogma-tique à ces fragments de maternité qui « parlent » par eux-mêmes. Je vais donc seulement tenter de démêler quelques fils qui ressortent, ici et là, de l'écheveau de ces histoires et qui se tissent dans les navettes d'intelligibilité que sont l'éthique biomédicale, le droit, l'anthropologie et la psychanalyse.

Dans ces chroniques, quatre thèmes principaux résonnent, comme des leitmotive. On les retrouve, chacun, dans plusieurs histoires. Je les aborderai tous les quatre. Qu'on ne voie nul ordre de priorité ou d'importance dans la présentation que j'en donne. Seule a une pertinence la manière dont ils se lient les uns aux autres.

L'exclusion au féminin

UNE DIZAINE d'histoires mettent en scène des mères enceintes jeunes (par exemple, Mme Makoro, vingt-deux ans) ou moins jeunes (par exemple, Mme Long, quarante-deux ans) qui se trouvent en situation d'exclusion, une situation hélas bien connue aujourd'hui et répertoriée, analysée sous les noms de « victimes de la fracture sociale », SDF, etc. Ce qui est moins connu, en revanche, c'est l'exclusion déclinée au féminin, « au maternel ». Voir un homme dormir dans des cartons, c'est insupportable, mais voir dans la rue une femme, et plus encore une femme enceinte, c'est pire... si l'on peut dire[1]. Les femmes sont en effet davantage exposées et menacées que les hommes. Un certain nombre d'entre elles ont déjà eu des enfants qu'elles ont été obligées d'abandonner. Elles recherchent souvent protection dans des bandes d'hommes qu'elles paient « en nature ». Le plus souvent, elles n'utilisent pas de contraception. Elles sont donc exposées à la fois aux MST — en particulier le sida et l'hépatite C — et aux grossesses. Beaucoup doivent se prostituer et se trouvent en situation de grand danger (Mme Forna, Mme Carnac)[2].

D'autres, qui ont encore un réseau familial ou amical (Mlle Gaxos, Mlle Évrard), sont « seulement » au chômage. Elles n'en sont pas moins, avec leurs bébés, dans une situation extrêmement précaire, au point que le souhait, formulé ou non, des équipes, est souvent que ces mères consentent à l'adoption pour « le bien du bébé ».

Le chômage est certainement la première des violences à l'heure actuelle : la revendication, la plainte de nombreuses femmes enceintes qui demandent une interruption volontaire de la grossesse (que le délai légal soit dépassé ou non) peut clairement se comprendre comme l'impossibilité vécue par une mère ou par un couple d'élever convenablement un enfant, faute de travail et faute d'un logement convenable.

Or il me semble significatif de constater que la misère morale et matérielle due au chômage est une plainte de plus en plus entendue par les soignants. Il s'agit là sans doute d'un phénomène de société important ; d'ici à

---

1. Les études menées sur les clochards (cf. le livre de l'anthropologue Patrick Gaboriau, *Clochard*, Paris, Julliard, 1985) ont d'ailleurs montré qu'il y a encore peu de temps, il n'y avait quasiment pas de femmes dans la rue.
2. Lili Reka fait apparaître qu'elles seraient sept mille environ à travailler aux portes de Paris, isolées, sans structures d'entraide ; nombre d'entre elles sont droguées à l'héroïne et au crack (« Dans le bus de la nuit », *Marie-Claire*, mai 1996 ; voir aussi « Filles des rues », *Marie-Claire*, octobre 1994).

quelques années, on assistera peut-être à des demandes d'interruption volontaire de la grossesse ou d'interruption médicale de grossesse — qui seraient alors toujours « volontaires » — « seulement » pour motif de chômage ; la notion de détresse des parents serait entendue majoritairement dans ce sens-là, en raison de la paupérisation grandissante de la société.

Sans vouloir noircir davantage le tableau, rappelons tout de même que, selon les statistiques de l'INSEE, 12,6 % de la population active française est au chômage, les jeunes étant les plus touchés actuellement. Lorsque l'on recoupe ces deux données, on trouve des cas de figure malheureusement ordinaires dans un service de gynécologie-obstétrique d'une grande ville : des couples qui attendent un enfant alors que les deux parents sont au chômage ou, cas banal également, n'ont jamais travaillé — au sens de toucher un salaire. Certains de ces couples (dont de nombreuses femmes seules) viennent demander une interruption volontaire de la grossesse. D'autres ont laissé passer le délai légal et viennent avec leur souffrance. D'autres encore (par exemple, Mme Lenoir) font suivre vaille que vaille la grossesse et c'est l'engrenage des inquiétudes (sur leur propre devenir, sur celui du bébé, etc.) qui sont les leurs, mais aussi les nôtres.

En France, aujourd'hui, une grossesse sur cent se situe dans un contexte de précarité. Il existe trois types de situations de précarité[3] :

1) celle des SDF *stricto sensu*, « sans toit ni loi » (par exemple, à la consultation Baudelaire, créée par le docteur Jacques Lebas à l'hôpital Saint-Antoine) ;

2) celle des couples ou individus en situation illégale (clandestins ou sans papiers, telle Nour), mais qui ont une famille ou bénéficient d'une solidarité sociale ;

---

3. Communication personnelle de Jacques Milliez.

3) celle, enfin, de tous ceux qui ont un petit salaire et pas de mutuelle (25 % des Français) : relevant de la troisième vitesse de la médecine, ils doivent payer le ticket modérateur (une journée d'hospitalisation coûte entre deux cent cinquante et six cents francs, selon le nombre d'actes cotés « K » ; autrement dit, une semaine d'hospitalisation peut leur coûter deux mille francs).

Ces chiffres se passent de commentaires. On peut cependant se poser une question intéressante sur les contre-attitudes, le contre-transfert de ceux (médecins, sociologues, psychanalystes et autres) qui, travaillant dans ce champ, veulent « faire quelque chose » pour soulager toute cette misère. C'est, au fond, la question sous-jacente que pose la naissance de la médecine dite humanitaire[4]. Dans un article percutant, le philosophe Robert Redeker écrit : « Malgré un snobisme anti-humaniste très répandu, l'humanitaire tire cependant un prestige de contrebande du rapprochement sémantique avec l'humanisme. Est-ce justifié ? Les mots ne trompent-ils pas ? Ne faut-il pas dire plutôt que l'humanitaire se substitue à l'humanisme, après la défaite de celui-ci devant l'anti-humanisme contemporain[5] ? »

Les mères prolétaires

NEUF DES CHRONIQUES qu'on a lues relatent des histoires de mères (Mme Long, Sylvie, Ariane, Safia, Véronique, Mlle Gaxos, Mme Carnac, Mme Forna,

---

4. Cf. le clivage théorique et idéologique qui oppose aujourd'hui le courant « Médecins sans frontières » au courant « Médecins du monde » (par exemple Xavier Emmanuelli à Bernard Kouchner).
5. R. Redeker, « L'humanitaire devant l'avenir », Les Temps modernes, n° 587, mars-mai 1996. On trouvera également dans ce numéro, et sur ce même sujet, un très bon article de Jacques Lebas, « Paradoxes de l'humanitaire ».

Mlle Évrard) qui, très ambivalentes sur la poursuite de leur grossesse et le devenir du bébé qu'elles attendent, hésitent. Les options qu'elles se sont données ou celles qu'on leur a offertes sont, outre la possibilité — théorique — de garder le bébé, l'avortement tardif — « sauvage » ou médicalement assisté —, d'une part, le consentement à l'adoption (avec un abandon anonyme ou un accouchement secret) d'autre part.

Trois de ces jeunes filles sont mineures (Sylvie, Ariane et Véronique)[6] ; deux vivent dans la rue (Mme Long et Mme Carnac) ; cinq autres ont un domicile provisoire ou précaire (Sylvie, Safia, Mlle Gaxos, Mme Forna, Mlle Évrard). Sans vouloir leur donner une valeur statistique qui n'est pas de mise, ces chiffres permettent cependant de comprendre pourquoi certaines situations existentielles de désespoir et de dénuement sont telles que l'abandon d'enfant devient (presque) inévitable. N'est-ce pas cette réalité qu'il faudrait mettre en avant pour comprendre les fantasmes de ces mères, plutôt que l'inverse ? Constatons en tout cas que dans ces neuf histoires, chaque fois qu'il a existé un élément d'étayage affectif et matériel pour la mère (dans cinq cas sur neuf), celle-ci a pu garder son enfant, ou, au moins, le placer (sous contrat avec la DDASS) avec l'intention de le reprendre.

On parle beaucoup, depuis quelques années, mais le plus souvent de manière assez partiale et partielle, de ces mères qui renoncent à garder leurs enfants, qui les abandonnent (même si ce n'est pas dans une poubelle). La pédopsychiatre Catherine Bonnet, qui est en même temps mère adoptive — cela est dit, avec honnêteté, par l'auteur elle-même —, a eu l'immense mérite d'analyser et de faire connaître les histoires de ces « femmes » aux-

---

6. On compte en France, chaque année, environ six mille cas d'accouchements de mineures (« Maternités adolescentes », *Études et Documents*, avril 1990).

quelles personne (les spécialistes pas plus que les parents adoptifs) ne s'intéressait auparavant[7]. Catherine Bonnet n'est pas la seule à les appeler ces « femmes », terme bien significatif du rejet que la société continue d'avoir à leur égard. Comme si le fait de vivre une grossesse, d'accoucher et de donner naissance à un enfant viable et bien formé, en faisant souvent connaître sa filiation, même si, au terme du délai légal de rétractation — deux mois actuellement —, la mère signe un consentement à l'adoption, comme si tout cela était insuffisant pour pouvoir même créditer ces mères du nom de « mères » ! On pourrait au moins les appeler « mères de naissance », comme le faisait joliment et justement Françoise Dolto[8]. On les diabolise, en outre, passablement, en leur prêtant, de façon quasi systématique, des fantasmes d'infanticide. Par un tour de passe-passe quelque peu téléologique, Catherine Bonnet fait ainsi apparaître l'abandon à la fois comme un « don d'enfant » et comme la meilleure chance de vie tant pour le bébé que pour sa génitrice et pour les parents adoptifs[9].

Le lecteur ignore peut-être qu'une femme mariée peut accoucher sous X sans que son mari soit forcément au courant de la naissance de son enfant... S'il s'en rend compte un peu tard, c'est trop tard, l'enfant est adoptable et, en général, déjà adopté ! C'est une — pas la seule cependant — des aberrations de la loi du 8 janvier 1993 — consacrant l'accouchement sous X — que certains juristes ont très justement dénoncées[10]. Tout le monde semblerait trouver son compte dans ce « geste d'amour » : les parents adoptifs qui ont un bébé ; les

---

7. C. Bonnet, *Geste d'amour. L'accouchement sous X*, Paris, Odile Jacob, 1990 ; nouvelle édition 1996, coll. « Opus ».
8. C'est ce terme que nous avons, pour notre part, repris.
9. Qui ont, eux, reçu l'estampille de « qualité de bon parent » ; comprenez : « l'agrément donné par le conseil de famille ».
10. Cf. Claire Neirinck, « L'accouchement sous X : le fait et le droit », *JCP*, 1996, 1.

bébés qui ont une vie meilleure que celle qu'ils auraient eue avec leur génitrice (vie qu'ils auraient d'ailleurs risqué de ne pas avoir du tout à cause de l'infanticide !) ; ces « femmes » enfin qui peuvent faire comme si elles n'avaient pas accouché, comme si *rien* ne s'était passé. Ce scénario voudrait donner un « happy end » à une histoire mal commencée. Alors qu'il s'agit malheureusement d'une histoire triste, forcément triste, de séparation, de deuil, pour deux, voire trois des protagonistes (les principaux, faut-il le rappeler ? étant la mère de naissance et l'enfant). Trois en réalité, car il convient de ne pas faire « passer à la trappe » le « père de naissance » qui est systématiquement rayé de toute carte comme s'il était forcément un personnage indigne ou irresponsable...

Une autre psychanalyste, Caroline Éliacheff, a su, elle, reconnaître, en filigrane d'histoires quelquefois terribles, la dignité de ces mères qu'elle appelle, avec justesse (et justice) « mères génitrices ». De manière très pertinente, elle écrit : « Un enfant peut se structurer symboliquement en fonction de son passé, en intériorisant les géniteurs qui l'ont abandonné [...]. Tu ne verras pas ta mère dans la réalité, mais tu la portes à l'intérieur de toi, pour toujours [11]. »

Nous ne la suivons pas, en revanche, dans la manière dont elle s'accommode, un peu trop facilement à notre sens, de cette loi qui consacre, avalise et banalise un certain nombre de situations dramatiques, en les « encadrant » par le « système accouchement sous X ». Caroline Éliacheff défend notamment un temps très court pour le délai de rétractation de la mère génitrice, à condition qu'on explique bien les choses au nourrisson. Peut-être l'auteur s'identifie-t-elle davantage ici à l'intérêt de l'enfant qu'à celui de la mère de naissance.

---

11. C. Éliacheff, *À corps et à cris*, Paris, Odile Jacob, 1993, p. 177 ; réédition 1994, coll. « Opus ».

Or il me semble que c'est *d'abord* à la mère qu'il faut expliquer ce que ce geste signifie, pour elle, pour son bébé actuel, mais aussi pour ses futurs enfants et pour les futurs enfants de ses enfants[12]. La prise en compte de l'intérêt des générations suivantes est fondamental[13]. Se donner une ligne de conduite qui soit heuristique pour tous les protagonistes de ces histoires complexes est en tout cas mon éthique clinique personnelle en la matière.

J'en viens, pour clore ce point, à une lecture sociologique, voire politique, de ces histoires, analyse qui me semble incontournable. On peut, me semble-t-il, faire l'hypothèse que ces jeunes mères sont les vraies prolétaires des temps modernes, au sens que l'érudit romain Aulu-Gelle[14], au IIe siècle après J.-C., donnait à ce terme : *Quid sit proletarius ?* Jacques Rancière nous apprend que dans le premier âge romain, le terme « prolétaire », qui vient de *proles* (race, postérité) désignait : « Ces hommes [au sens générique] qui ne font rien d'autre que vivre et faire des enfants sans leur donner un nom, une identité, un statut symbolique dans la cité[15]. » N'est-ce pas exactement le cas de ces « femmes » auxquelles, on l'a vu, on refuse même le nom, le statut de mères ? Les prolétaires des temps modernes ont donné leur force de travail au capital ; ces mères donnent, elles, leurs enfants aux « riches ».

Elles sont également en rupture avec la logique de reproduction admise officiellement. La société industrielle, contrairement à une certaine « logique » de l'abandon dans les siècles passés en Europe ou dans d'autres

---

12. Au cours des cinq dernières années, et pour les quatre-vingt-onze départements, 26 296 demandes d'informations sur les origines ont été reçues par les services de l'Aide sociale à l'enfance (d'après J. Rubellin-Devichi, « Permanence et modernité de l'adoption après la loi du 5 juillet 1996 », *JCP*, n" 48).
13. J'ai très largement développé ce point dans le chapitre 6, « Procréation et éthique relationnelle », de *Enfant de personne*, Paris, Odile Jacob, 1994.
14. Aulu-Gelle, *Nuits attiques*, cité par J. Rancière, *op. cit.*
15. J. Rancière, *La Nuit des prolétaires*, Paris, Fayard, 1982.

sociétés, refuse en effet de donner un sens à la circulation des enfants, ou, plus exactement, médiatise et anonymise cette circulation. Refuse de réguler humainement la nécessaire « péréquation » dans l'affectation des enfants : certains parents, pourtant, ont des enfants dont ils ne veulent pas (ou plus), tandis que certains autres n'en ont pas et en voudraient. Je ne veux pas dire que c'est une affaire simple ! Mais, bibliographie faite, on peut voir que toutes ces transactions, ou presque toutes, peuvent se métaboliser dans le creuset de la parenté et du psychisme de chacun [16]. Dans les sociétés développées, on préfère, pour gérer le trop-plein ou le manque d'enfants, faire circuler les gamètes : c'est tellement plus hygiénique, plus technique, plus médical, plus scientifique ! Et plus facile aussi, car personne ne peut protester ; il n'y a plus d'humain, plus de sujet, seulement des « parties » d'humain congelées, stockées, donc aisément manipulables. « L'ennui », entre autres, de ce système, est qu'il crée des enfants supplémentaires au lieu de trouver des parents pour les enfants existants !

Revenons à ces mères prolétaires ; à ces « femmes » qui procréent hors normes (sociales, familiales, médicales), avec des grossesses souvent non suivies, en consommant parfois des drogues, de l'alcool, etc. ; à ces « femmes » qui n'ont pas un « vrai désir d'enfant », estampillé, programmé, avec un partenaire stable, titulaire d'un emploi de préférence stable, futur père désirant lui aussi ; à ces « femmes » qui constituent un défi à l'ordre social, à la logique scientifico-médicale de la reproduction (médicalement, médiatiquement, et socialement assistée) ; à ces « femmes » qui semblent ignorer les « avancées scientifiques » de la contraception chimique et même celle du préservatif ; à ces « femmes » (et aux hommes qui les font

---

16. Cf. le livre princeps de l'ethnologue Suzanne Lallemand, *La Circulation des enfants en société traditionnelle. Prêt, don, échange*, Paris, L'Harmattan, 1993.

avec elles, mais d'eux on ne parle pas) qui font des enfants « n'importe comment »...

On ne pouvait, en bonne logique technocratique, que les bannir, les rejeter dans les limbes, c'est-à-dire dans l'anonymat. On a jeté la mère (re-virginisée en quelque sorte par le mot « femme »). S'agirait-il de la version procréative du blanchiment, non de l'argent de la drogue, mais du fruit d'un écart social (d'un comportement non procréativement correct) ?

Bien sûr, on a gardé les bébés. Bébés qui constituent à l'heure actuelle un bien précieux parmi tous, objet de tous les désirs, de toutes les compétitions ; pour les obtenir, les arracher de haute lutte, couples, médecins, associations s'échinent, rivalisent de techniques, d'argent et d'astuces. Dans l'hémisphère Nord en tout cas...

Les mères marginales et marginalisées qui abandonnent leurs enfants constituent ainsi un véritable ferment révolutionnaire dans notre société hygiénique, technocratique et « sexually correct ». « Gardons ce qu'elles peuvent donner et jetons le reste », telle semble être la philosophie, un peu courte, de la loi de janvier 1993[17].

Quelques mots s'imposent donc sur cette loi qui a introduit dans le Code civil (le code du statut de la personne humaine) la pratique de l'accouchement anonyme. Et sur sa philosophie, telle que peut la déchiffrer une juriste, plus compétente qu'une psychanalyste en l'espèce. La définition que Claire Neirinck en donne, tout d'abord : « L'accouchement sous X est un abandon de nouveau-né qui ne dit pas son nom [...] le préalable à une adoption à laquelle on n'a pas à donner son consentement. [...] Il faut comprendre que l'enfant né sous X représente l'adopté "idéal" car les adoptants se voient confier un "bébé" sans origine, sans passé. Ces considéra-

---

17. La formule de Pierre Legendre, « conception bouchère de la filiation », prend ici tout son sens.

tions expliquent la faveur dont jouit l'accouchement sous X, notamment auprès des associations de familles adoptives, qui sont les seules à se faire entendre en la matière[18]. » Affirmant que le vote de cette loi a introduit une grande incohérence dans le droit de la filiation, Claire Neirinck conclut : « La question du droit à la connaissance de ses origines se pose donc en termes particuliers en matière d'adoption et d'accouchement sous X. S'il doit être consacré, c'est bien dans le cadre de l'adoption, ce qui est de nature à remettre en cause l'accouchement secret consacré par la loi du 8 janvier 1993[19]. »

La filiation adoptive, telle que le droit français la conçoit, est, en effet, une filiation digne, respectueuse de tous les protagonistes, parfaitement irréfragable quels que soient les aléas de la vie de chacun. Les révélations éventuelles quant à l'origine de l'enfant adopté ne peuvent avoir d'incidence sur le lien de filiation. Les seuls parents sont ceux que désigne le jugement d'adoption. Or, contrairement à ce qu'on laisse souvent croire aux mères qui envisagent l'adoption, il existe d'autres possibilités que celle de l'accouchement sous X (la pire qui soit), possibilités qui respectent mieux l'identité de l'enfant et la dignité de la mère. C'est notamment celle, dont il a été question à plusieurs reprises dans ces chroniques, de « remise en vue de l'admission comme pupille de l'État » (la filiation de la mère — des parents — est connue, mais non établie[20]). Cette possibilité est prévue par les articles

---

18. C. Neirinck, *Le Droit, la Médecine, l'Être humain. Propos hétérodoxes sur quelques enjeux vitaux du XXIᵉ siècle*, Presses Universitaires d'Aix-Marseille, 1996, p. 48. Il fait savoir qu'environ quelques centaines de mères par an accouchent sous X : ce qui donne quelques centaines de bébés adoptables rapidement et facilement (sans avoir à passer par le parcours long et cher de l'adoption internationale). Ce chiffre baisse depuis quelques années. Tant mieux.
19. *Ibid*, p. 52.
20. En d'autres termes, le dossier de l'enfant (que ce dernier peut demander à consulter à partir de sa majorité et ce jusqu'à sa mort) ne sera pas vide, mais comportera au contraire sa filiation première.

61.2 ot 6? du Code de la famille et de l'aide sociale. C'est un acte beaucoup plus digne, conscient, sûr (les possibilités de « trafic » sont réduites) que celui de l'accouchement sous X. Juridiquement, c'est aussi un acte plus clair : il s'agit, en quelque sorte, d'une cession des droits d'autorité parentale.

Après avoir depuis quelques années dénoncé les effets pervers du système de procréation avec gamètes anonymisés dans des « banques », c'est contre une autre forme d'anonymisation abusive que je m'élève ici : celle qui consiste à préparer, à l'intention des enfants nés sous X, des dossiers vides de tout renseignement qui fasse sens, privant ainsi leur vie future de toute historicité, c'est-à-dire de la possibilité de reconstruire leur propre histoire ; étape pourtant essentielle pour pouvoir (bien) transmettre la vie à son tour, mûrir, vieillir et mourir.

Le diagnostic anténatal et l'interruption médicale de grossesse

H UIT DE CES CHRONIQUES (en comptant pour un le groupe de parole sur le deuil périnatal) traitent, de front ou de biais, de la question du diagnostic anténatal (ou diagnostic prénatal) et de l'interruption de grossesse qui s'est ensuivie (en cas de mauvais diagnostic).

Toute cette histoire commence, de manière relativement anodine, avec l'échographie : la quasi-totalité des femmes enceintes y ont affaire. Cet examen n'est pas, à proprement parler, un outil de diagnostic anténatal ; cependant, les signes d'appel, les clignotants qu'il indique induisent eux-mêmes une escalade — justifiée ou non — dans le dépistage de malformations éventuelles du fœtus.

On a vu que la question devient beaucoup moins anodine avec le test de l'HT 21 [21] (cf. l'histoire de Mme Verdoux). Elle ne l'est plus du tout, car non sans risques pour la vie du bébé, avec les examens proprement dits de diagnostic anténatal que sont la cordocentèse et l'amniocentèse. Ainsi Mme Long et Mme Lenoir avaient-elles eu de bons résultats et avaient poursuivi leur grossesse ; Mme Vernier et le couple Mektar, en revanche, en avaient eu de « mauvais » (trisomie pour l'un, malformation cardiaque pour les autres) et avaient recouru à l'interruption médicale de la grossesse. Et dans les histoires de Mme Soulié et du couple Saroke, c'est peut-être l'examen lui-même, cordocentèse pour l'une, amniocentèse pour l'autre, devenue iatrogène, qui a induit la mort du fœtus.

Dans les pays occidentaux, la question de la prescription de l'HT 21 pose de redoutables problèmes, tant éthiques que psychologiques. Le Comité consultatif national d'éthique a rendu un avis en 1995, aux termes duquel il déconseillait l'utilisation systématique de l'HT 21 pour dépister la trisomie. Quant aux médecins, ils sont partagés sur l'usage, systématique ou non, de cette pratique : c'est en effet un examen de dépistage qui permet, dans certains cas, de prévenir la naissance d'un bébé trisomique chez des femmes jeunes [22]. Cet examen doit en tout cas être très soigneusement expliqué aux parents, dans toutes ses conséquences médicales et éthiques. Cela prend beaucoup de temps et nécessite une certaine empathie avec les valeurs des parents que l'on a en face de soi, afin de ne pas risquer de faire des dégâts pour rien, comme dans le cas du couple Saroke.

Mais il ne faut pas non plus occulter l'autre débat, en

---

21. Dosage fait entre quinze et dix-huit semaines de grossesse, à partir d'une prise de sang chez la mère enceinte, de l'alpha-fœto-protéine (voir p. 126) (A.F.P.S.M. alpha-fœto-protéine sérique maternelle, un taux élevé peut révéler une malformation) pour tenter de dépister des marqueurs de trisomie.
22. Les femmes plus âgées, au-dessus de trente-huit ans, bénéficient, elles, d'une proposition systématique (et remboursée par la Sécurité sociale) de dépistage (par amniocentèse).

arrière-plan de la question. Deux camps sont en effet en présence (outre celui des parents) D'un côté, un lobby médical et pharmaceutique qui tient à promouvoir et à développer une technologie susceptible de concerner un marché considérable (virtuellement, toutes les femmes enceintes de moins de trente-huit ans !). De l'autre, le courant « Laissez-les vivre » (au sens large), très représenté actuellement dans les instances ministérielles qui gèrent la médecine française.

La pratique de l'HT 21 pose également, d'une autre manière que dans le cas de la pratique de l'échographie, la question de la demande d'enfant parfait. Il existe autour de cette question de nombreux malentendus, de nombreuses déceptions réciproques entre parents et médecins. Les parents voudraient qu'on leur assure (et même qu'on leur garantisse), non que l'enfant soit parfait au sens d'une norme de perfection, mais qu'il soit conforme à l'enfant qu'ils souhaitent, eux, ou qu'ils peuvent accepter. Qu'il est conforme à leur désir, à leur projet (pour tel parent, avoir un enfant trisomique est complètement impossible à assumer, fondamentalement incompatible avec leur projet parental ; d'autres, en revanche, peuvent s'en accommoder, même si c'est une épreuve très dure).

Les médecins ont, quant à eux, d'autres critères. Critère clinique négatif, d'abord : qu'il n'y ait pas de « signes d'appel » à l'échographie, ce qui ne veut pas dire pour autant qu'on puisse garantir que le fœtus est normal. Critère épidémiologique, ensuite : le fœtus a, ou n'a pas, de malformation incompatible avec une vie « normale ». Par exemple, on peut opérer une malformation cardiaque ou une anomalie des membres ; mais s'il s'agit d'une atteinte du tube neural *(spina bifida)*, le handicap est beaucoup plus invalidant, voire létal.

Quant à la trisomie ou au nanisme, par exemple, la décision renvoie au choix éthique des parents. Un choix très douloureux par conséquent. On l'a vu, par exemple, dans les prises de parole successives de Mme Thévaz, au groupe sur le deuil périnatal ; ou lorsqu'une mère a parlé de l'interruption de grossesse qu'elle et son mari s'étaient résolus à demander en découvrant, à l'amniocentèse, que leur troisième bébé était trisomique — le second ayant succombé à la mort subite du nourrisson. Il en va de même pour la drépanocytose, cette maladie de l'hémoglobine, fréquente en Afrique et chez les Africains de France, qui entraîne une anémie chronique grave ; ou encore pour la mucoviscidose, cette maladie génétique très fréquente dans nos pays. Quand un couple a déjà un enfant atteint de l'une de ces maladies, on propose le plus souvent aux parents une amniocentèse pour la grossesse suivante, et, au cas où le bébé est malheureusement aussi atteint, on peut comprendre les affres dans lesquelles ils se débattent, la moindre de leurs souffrances n'étant pas ce que représente, pour l'enfant vivant, le fait de « tuer » le suivant, atteint de la même maladie : comme si c'était aussi l'aîné que les parents supprimaient...

Au-delà de ces examens, de ce qu'ils représentent pour les parents et pour les médecins (la question du risque iatrogène est, on s'en doute, tout aussi difficile à gérer pour les équipes), intervient ensuite la redoutable épreuve de l'interruption médicale de la grossesse, qu'il y ait ou non fœticide. Disons de manière très — trop — simple que, dans certains cas, le fœtus est déjà mort quand on déclenche l'accouchement ; dans d'autres cas, il meurt spontanément pendant le travail ; dans d'autres cas enfin, on doit faire un geste de fœticide pour qu'il ne naisse pas vivant (c'est un fœtus qui n'aurait vécu, au mieux, que quelques heures). Véritable calvaire, pour ces mères, que cet accouchement aussi paradoxal que douloureux, car il conduit, de toute façon, à la mort du bébé.

Un mot à l'attention des lecteurs qu'un tel geste peut choquer ou révolter. Remarquons tout d'abord que lorsqu'on n'a pas été soi-même confronté à une telle épreuve, il est difficile de juger. Mais, et c'est là un point qu'il me semble essentiel d'apporter dans les controverses sur l'éthique du diagnostic anténatal, le fait que cette épreuve soit terrible — et elle l'est — contient précisément un argument pour faire tout ce qui est possible afin de l'éviter. Or il existe des cas de figure où l'interruption tardive de la grossesse serait évitable : ce sont les cas où un premier enfant est déjà atteint (de mucoviscidose par exemple), les cas également où l'on sait que la grossesse est « à risque » (risques génétiques en particulier, risques éventuellement liés à l'âge ou à l'état de santé des parents). Dans ces cas, il pourrait exister une possibilité de diagnostic pré-implantatoire[23], qui me semble, comme psychanalyste, et sur le plan humain tout simplement, un moindre mal comparé à l'interruption tardive de la grossesse, moment dramatique, on l'a vu, où la mère sent son bébé mourir dans son ventre qui « devient une tombe » (voir la description simple et terrible qu'en donne Mme About). Le diagnostic pré-implantatoire a cependant de nombreux détracteurs parmi les spécialistes (tant moralistes que scientifiques) qui voient là un risque supplémentaire de dérive vers l'eugénisme[24]. Le risque n'est certes pas négligeable, dans la mesure où le diagnostic pré-implantatoire se pratique à partir d'embryons[25], après une fécondation *in vitro* préalable : on opère alors un « tri » des embryons, ne replaçant dans l'utérus maternel que ceux qui ne sont pas atteints de la maladie que l'on redoute. Je ne veux pas discuter plus avant ici des enjeux éthiques du diagnostic pré-implantatoire ; je tiens seulement à souligner que, à la lumière de mon expé-

---

23. Prévu, avec réserves, dans la loi bioéthique de juillet 1994, il nécessite de passer par la fécondation *in vitro*.
24. Dans *L'Œuf transparent* (Paris, Flammarion, 1988), Jacques Testart a théorisé, avec talent, cette crainte. Sur ce point, je ne suis donc pas d'accord avec lui.
25. D'embryons frais.

rience clinique, il me semble que l'interruption médicale de la grossesse est l'une des pires épreuves de la vie d'une mère ; une société développée devrait se donner les moyens de ne pas la leur faire vivre, ou, au moins, leur laisser choisir entre le diagnostic prénatal et le diagnostic pré-implantatoire.

L'histoire suivante, toute récente, me semble à cet égard exemplaire. M. et Mme Dumortier, vingt-huit ans tous les deux, attendent leur premier enfant. À l'occasion d'une échographie au cinquième mois (suivie d'une amniocentèse à cause du doute à la suite de cet examen), on s'aperçoit que l'enfant est atteint de mucoviscidose. En accord avec l'équipe et les parents, on pratique une interruption de la grossesse à trente semaines. La consultation de conseil génétique fait apparaître que les deux parents sont porteurs, sans le savoir, du gène de la mucoviscidose ; par conséquent, il existe un risque sur quatre que chaque enfant soit atteint. M. et Mme Dumortier décident, très vite après la mort du premier, de tenter leur chance à nouveau. On fait, cette fois, un diagnostic plus précoce, qui montre que l'enfant est, malheureusement, atteint lui aussi. Une nouvelle interruption (à dix-huit semaines de grossesse) est pratiquée. C'est à ce moment que je rencontre les Dumortier. Ces parents, la mère de manière plus démonstrative encore que le père, vivent un chagrin terrible. Mme Dumortier me dit qu'elle ne veut plus, qu'elle ne peut plus vivre la même chose à nouveau ; je la sens en grand danger psychologique. Ils ont entendu parler des procréations par donneur dans un cas tel que le leur. Je les encourage dans cette voie. Ils prennent alors rendez-vous dans un centre d'étude et de conservation des œufs et du sperme humain pour envisager un don de sperme et tenter de court-circuiter le risque génétique. Ils savent qu'ils doivent renoncer à avoir un enfant qui soit d'eux, alors qu'ils ont évidemment aucun problème de fertilité ; ils devront, en particulier, prendre toute leur vie des moyens contraceptifs pour ne pas risquer une nouvelle conception. Or si ce couple allait en Grande-Bretagne, on pourrait actuellement pratiquer un diagnostic pré-implantatoire : on procéderait à une fécondation *in vitro* et, après avoir examiné les embryons fécondés du couple, la réimplantation de un ou deux embryons non atteints serait tentée. En France, la loi du 29 juillet 1994 a autorisé le diagnostic pré-implantatoire mais le décret d'application n'est toujours pas paru, ce qui interdit, en pratique, sa mise en œuvre[26].

Il me semble important, à ce point de la discussion sur l'interruption médicale de grossesse, de rappeler le cadre législatif de cette intervention. Ces interruptions sont possibles en France, on en a vu plusieurs exemples dans ces chroniques, jusqu'au terme de la grossesse. La loi du 17 janvier 1975 (dite loi Veil, sur l'interruption volontaire de la grossesse), complétée et rendue définitive par la loi du 31 décembre 1979, a prévu une interruption de la grossesse pour motif thérapeutique en cas de « forte probabilité que l'enfant à naître soit atteint d'une affection d'une particulière gravité reconnue comme incurable au moment du diagnostic ». Cette loi a été légèrement modifiée et détaillée par l'une des lois, dite bioéthique, du 29 juillet 1994 (n° 94-654), qui définit ainsi le diagnostic prénatal : « Pratiques médicales ayant pour but de détecter *in utero* chez l'embryon ou le fœtus une affection d'une particulière gravité. » Le texte précise surtout « qu'il doit être précédé d'une consultation médicale de conseil génétique ». En outre, l'un des médecins appelé à accréditer la réalité du motif thérapeutique doit exercer

---

26. Un appel a été récemment lancé au gouvernement par vingt-neuf professeurs de gynécologie-obstétrique de l'Assistance publique-Hôpitaux de Paris (AP-HP) pour pouvoir effectuer ce diagnostic sur des embryons humains porteurs de certaines maladies génétiques. Mais le législateur semble plus s'intéresser aux sujets « à la mode », tel le clonage des brebis qui, s'il est important à long terme, est moins urgent que des milliers de cas dramatiques analogues à celui du couple Dumortier.

son activité dans un centre de diagnostic prénatal pluri-disciplinaire ; l'autre doit être inscrit sur une liste d'experts près la Cour de cassation ou près une cour d'appel.

Cet encadrement législatif, trop audacieux aux yeux de certains, en France et ailleurs (les obstétriciens suisses, par exemple, sont scandalisés par cette loi), a le mérite d'être cohérent, si l'on veut bien y réfléchir au cas par cas. Il s'appuie clairement sur une éthique du moindre mal et s'étaye très profondément sur la notion de « consentement éclairé » de la part des patients.

Il n'est évidemment pas dans mes intentions, au terme de ce livre, d'ouvrir un débat sur l'eugénisme... Je souhaite seulement souligner ici deux points qui renvoient directement aux histoires présentées. En premier lieu, lors de l'élaboration des lois bioéthiques, avait été évoquée une disposition intéressante à mon avis : l'article 10 du projet de loi[27] prévoyait une vérification *a posteriori* de l'authenticité de l'anomalie par autopsie, après l'interruption médicale de la grossesse. Il me semble regrettable que cette disposition ait disparu du texte définitif. Les histoires de Mme Soulié et du couple Saroke eussent été, sinon moins dramatiques, au moins plus transparentes : dans ces deux histoires, on l'a vu, la technique de diagnostic anténatal a eu un effet iatrogène, déclenchant l'expulsion du fœtus, et donc sa mort. Il eût été important de savoir, après l'accouchement, si ces bébés avaient un handicap ou non ; pour cela une autopsie eût été nécessaire. Or le couple Saroke l'a refusée ; Mme Soulié, elle, s'est contentée de constater que son bébé était apparemment bien formé et qu'il n'avait pas de malformation apparente (la malformation cardiaque de celui-ci était invisible à l'œil nu). Les équipes se sentiraient davantage sous contrôle avec ce type de disposition : toutes

---

27. Nº 94-654 « relative au don et à l'utilisation des éléments du corps humain, à l'assistance médicale à la procréation et au diagnostic prénatal ».

— même les « bonnes » ou « supposées bonnes » — ont besoin de garde-fou dans des domaines aussi sensibles et complexes...

En second lieu, le texte de loi ne précise pas assez, à mon avis, la marge de manœuvre pour laisser s'exprimer la volonté des parents. En général, ceux-ci comprennent bien que l'acceptation du diagnostic anténatal n'entraîne pas forcément un engagement de leur part à faire pratiquer une interruption médicale de la grossesse en cas de mauvais résultat. Mais la « probabilité » (terme employé dans le texte de la loi) n'est pas le probabilisme... Et on ne sait jamais, à coup sûr, ce que signifie un mauvais pronostic, c'est-à-dire ce qu'il serait advenu exactement si la grossesse s'était prolongée et si le bébé était né. Il convient donc de s'assurer que les parents peuvent comprendre le « doute méthodique » des médecins dans certains cas particulièrement complexes, et de vérifier qu'il n'a existé de pression d'aucune sorte, même scientifique, à la décision qui a finalement été prise. Or, on en a vu plusieurs exemples, dans les cas de couples très religieux, ou non francophones, les malentendus peuvent s'installer facilement[28].

Je voudrais terminer sur ce point en revenant brièvement sur trois histoires. Celles de Véronique et de Mme Forna tout d'abord. Elles sont certes différentes l'une de l'autre, mais elles sont aussi complètement dissemblables des autres histoires d'interruption médicale de la grossesse. Il s'est agi en effet, dans ces deux histoires, de ne pas faire naître des bébés probablement normaux...

L'article 162-12 de la loi du 17 janvier 1975 stipule que « l'interruption volontaire d'une grossesse peut, à toute époque, être pratiquée si deux médecins attestent, après

---

28. Faudrait-il créer des postes d'ethnopsychanalystes dans les maternités ? Sans doute. Cela rendrait également grand service aux couples français d'être écoutés dans leurs particularités religieuses ou culturelles.

examen et discussion, que la poursuite de la grossesse met en péril grave la santé de la femme ». Dans les cas de Véronique et de Mme Forna, la poursuite de la grossesse pouvait mettre en grave danger la santé mentale des mères. Tout repose évidemment sur le « après examen et discussion ». J'ai tenté de montrer dans ces deux histoires comment la discussion a bien eu lieu, avec les patients et leurs proches, ainsi qu'au sein de l'équipe et entre équipes. La solution de facilité et de confort pour le chef de service aurait été de refuser ces demandes et de laisser ces grossesses se poursuivre. À quel prix ? Au risque d'un infanticide, probable dans le cas de Véronique. Et, dans celui de Mme Forna, au risque de jeter un enfant de plus dans la « nature » ; cet enfant aurait peut-être été adopté, mais peut-être aussi ne l'aurait-il pas été (un seul des enfants de Mme Forna était adopté, les autres étaient inadoptables, car non abandonnés). Au lecteur de trouver sa propre morale.

Reste une troisième histoire, celle de la calamiteuse et lamentable interruption médicale de grossesse que Safia a subie dans un grand hôpital parisien, en 1983, à dix ans tout juste, et dans les circonstances que l'on a lues. Ce fut, en réalité, une césarienne avec féticide, euphémiquement baptisée « interruption médicale de la grossesse ». Tout cela, faut-il le préciser, s'est déroulé dans un cadre parfaitement légal (au moins pour ce qui est de la forme). À l'époque, et dans cette équipe, il n'y avait sans doute pas eu suffisamment d'« examens et discussions », déjà prévus pourtant dans la loi à ce moment-là.

Chacun a droit à l'erreur. Mais la morale de l'histoire — à supposer qu'il y en ait une ici — me semble être qu'il faut savoir, dans des cas exceptionnels, respecter davantage l'esprit de la loi que la lettre.

Le deuil périnatal

L E THÈME le plus récurrent dans ce livre est à l'évidence celui du deuil périnatal. Il est d'ailleurs étroitement lié à celui de l'interruption de la grossesse après (ou sans) diagnostic anténatal. Je propose ici de distinguer la mort fœtale *in utero* de l'interruption médicale de la grossesse. La mort fœtale est accidentelle, en général non prévisible ; nulle préparation pour la mère à cet événement dramatique qui lui tombe dessus « comme un coup de massue » ; et nul choix de la part des parents qui ne disposent d'aucun élément explicatif à la mort du bébé, auquel ils puissent se raccrocher. Dans le cas de l'interruption médicale de la grossesse, au contraire, il existe une raison à la mort du bébé (maladie, handicap ou décision des parents conseillés par l'équipe). À cette différence près, les questions du deuil périnatal sont les mêmes dans les deux types d'histoires ; elles seront donc abordées ensemble.

Le groupe de parole sur le deuil périnatal dont j'ai rapporté quelques séances prend précisément en compte cette communauté d'affects de deuils. On a pu lire sur ce thème deux histoires de fausses couches précoces à répétition (Mme Marec et Mme Pottier), et sept histoires de morts fœtales *in utero* (Mme Diolo, Mme Soulié, Mme Bernard, Mme About, le couple Saroke, Mme Allain, plusieurs couples du groupe de parole et l'histoire du couple Talgo, enfin, dont le bébé est mort juste après l'accouchement). Sans compter les histoires des familles Nguyen et Hassan, où naissance et mort sont intimement liées (à la différence près que ce n'est pas le bébé qui est mort avant de naître, mais la mère qui est morte d'avoir donné la vie).

On peut s'étonner de trouver deux histoires de fausses couches à répétition en début de grossesse, incluses dans la problématique du deuil périnatal. Il est vrai que, calculée au sens médical habituel, la mortalité périnatale se définit par toute perte d'un enfant qui survient entre la vingtième semaine de gestation et le premier mois de la vie ; mais j'estime, à la lumière d'une longue expérience d'écoute de ces parents, qu'il faut inclure dans cette définition du deuil périnatal les pertes du début de la grossesse (fausses couches spontanées et grossesses extra-utérines). La souffrance, le chagrin que ressentent les parents ne sont pas corrélés, en effet, de façon logique avec le stade auquel la grossesse s'est arrêtée... Encore faut-il préciser que la mortalité périnatale, calculée dans son sens médical, ne tient pas compte des avortements volontaires qui, s'ils ne sont pas des échecs médicalement parlant, sont souvent sources de deuils douloureux et à long terme.

Le vécu parental du deuil à l'occasion de la mort d'un bébé non né est un sujet très peu connu qui a fait l'objet d'un véritable déni jusqu'à une période récente[29]. C'est une des raisons qui m'ont donné envie de témoigner de cette réalité qui dérange, afin d'aider les nombreux parents qui la vivent à sortir de leur isolement, de contribuer à les conduire, pour ces bébés qui n'ont pas pu vivre comme pour les morts d'adultes proches, sur le chemin du travail de deuil que tout un chacun sait maintenant nécessaire. L'autre raison, je l'ai dit au début de ce livre, tient à ce que ces histoires se sont présentées dans ma pratique clinique habituelle à l'hôpital, durant les six mois que j'ai relatés dans ce journal de bord.

---

29. C'est un vaste sujet sur lequel je ne peux que renvoyer le lecteur à une bibliographie récente extrêmement riche (Ariès, Gorer, Hanus, Vovelle, Allouch, Le Goff, Lett, Morel). Pour s'en faire une idée, on peut lire un numéro hors série de *Littoral*, « Deuil d'enfant », novembre 1995, un numéro spécial de *Devenir*, « Mort-naissance », n° 1, 1995, ainsi qu'un numéro récent d'une revue québécoise, *Frontières*, « Maternité, avortement et deuil », n° 2, automne 1996.

La connaissance récente des réactions de deuils périnatals a permis à de nombreuses équipes obstétricales de développer des attitudes d'accompagnement qui ont commencé à remplacer la conspiration du silence d'autrefois. La plupart du temps, on propose à la mère (et même on le lui conseille) de voir le fœtus mort, en présence de la sage-femme ou du médecin. C'est l'expérience même des patients qui a convaincu les équipes de procéder ainsi, évitant les fantasmes sur un bébé difforme ou monstrueux, ainsi que les regrets ou les remords des parents de ne pas avoir vu ce bébé que la mère avait connu, elle, pendant plusieurs mois. La quasi-totalité des parents disent d'ailleurs qu'il (elle) était très mignon(ne)...

Ces évolutions dans le vécu des parents et des équipes sont allées de pair, et ce n'est pas un hasard, avec des changements dans les représentations sociales et juridiques des décès périnatals. La loi française du 8 janvier 1993 a modifié de façon importante les règles de déclaration de naissance des enfants nés vivants et décédés avant la déclaration à l'état civil (article 55 du Code civil). Le bébé né vivant, viable ou non, est désormais individualisé juridiquement, quel que soit son âge gestationnel. S'il naît mort, on dresse un « acte d'enfant né sans vie ». Les parents peuvent lui donner un prénom et l'inscrire sur leur livret de famille[30].

Cette inscription à l'état civil fournit les éléments d'une individualisation, ce qui est différent de la personnalité juridique[31]. À l'inverse, l'état civil révèle un statut qui décrit statiquement certaines qualités inhérentes à l'individu : il révèle ainsi l'existence, même fugitive, d'un être humain.

---

30. Cf. les diagrammes qui figurent en annexe, p. 225.
31. Le droit différencie, rappelons-le, l'attribution d'un état et l'attribution d'une personnalité ; la personnalité juridique est une abstraction centrée sur la possibilité réelle ou supposée d'agir sur le théâtre de la vie juridique — être titulaire de droits et assujetti à des obligations.

Les préoccupations du droit rejoignent ici celles de la psychanalyse : afin que le deuil puisse se faire, la loi dit qu'il importe de rattacher le fœtus à une généalogie et qu'à défaut de lui conférer le statut de sujet, il convient de lui reconnaître pleinement sa qualité d'être humain.

Il reste que les enfants mort-nés à moins de six mois de grossesse n'existent pas aux yeux de la loi, et n'ont jamais existé : plusieurs des histoires de deuil de ces chroniques font apparaître à quel point ce déni social et juridique obère le travail de deuil des parents. Il y a encore beaucoup à faire dans ce domaine[32]. Remarquons à quel point les termes « officiels » sont en décalage avec la réalité maternelle : il s'agit là — dans ces « riens », ces « produits innommés » — de bébés que leur mère a portés parfois cent quatre-vingts jours, c'est-à-dire quatre mois et demi ; c'étaient de vrais bébés qui bougeaient en elles ; des bébés que les parents — ainsi que les frères et sœurs — appelaient souvent par leur prénom, avec lesquels ils faisaient parfois des séances d'haptonomie, etc. Comment faire le deuil dans ces conditions ?

Une des souffrances les plus vives des parents (chez les mères comme chez les pères) est en effet la non-perception de la mort périnatale comme perte d'un enfant ; le non-événement que cette perte représente souvent pour l'entourage, qu'il soit médical ou familial. Cela étant scandé, orchestré par des phrases, dites par l'entourage, comme : « Vous êtes jeunes, faites-en vite un autre », ou : « Il ne faut plus y penser, ce ne sera qu'un mauvais souvenir que vous oublierez », ou encore : « C'est la nature qui fait bien les choses, elle élimine les ratés », etc. Et aussi, dans le cas particulier d'une interruption médicale de grossesse pratiquée à la suite d'un diagnostic de trisomie : « Vous avez bien eu raison de ne pas le garder, il

---

32. Cf. Colloque Gypsy I, *Mourir avant de naître*, à paraître aux Éditions Odile Jacob.

aurait eu une qualité de vie très mauvaise, et cela aurait été un tel poids pour les frères et sœurs.» Personne, disait une patiente au groupe de parole, n'a compris mon angoisse, ma question : « Est-ce que j'ai bien fait de ne pas le garder, pour lui, pour nous, pour la fratrie ? Est-ce qu'il a souffert pendant l'accouchement ? Est-ce qu'il est né vivant ? Est-ce qu'il est mort au cours de l'accouchement, ou est-ce qu'on a dû le tuer ? » Une autre mère disait : « Qu'est-ce que ce bébé a compris du rejet dont il a été victime ? » Une autre encore — le cœur de son bébé avait cessé de battre « en cours de travail » — a écrit à l'équipe : « J'ai écrit cette lettre pour mon bébé, pour sa souffrance inutile et en souvenir de sa vie dans mon ventre. » « Je n'ai pas su trouver les bons mots pour lui expliquer », disait enfin une mère de deux enfants (garçon et fille) qui n'avait pas voulu savoir le sexe du bébé « interrompu » pour ne pas obérer l'avenir des aînés ; pour cette même raison, elle n'avait voulu ni inhumation pour le bébé, ni inscription sur le livret de famille. Ce qui montre, par parenthèse, à quel point il faut se garder d'une lecture simpliste du deuil périnatal (« bon deuil, non pathologique = deuil ritualisé, officiel, reconnu » et « mauvais deuil = deuil occulté, caché »).

Quel est le travail de deuil de quelqu'un qui perd un bébé avant la naissance ? Aussi paradoxal que cela puisse paraître, il existe peu de réponses à cette question dans la stricte métapsychologie freudienne qui définit le deuil comme une élaboration psychique opérant à partir de certaines traces qu'a laissées le mort et que l'endeuillé reprend et rejette. Mais quand un parent perd un enfant à la naissance ou juste avant, *in utero*, il perd quelqu'un qui n'a pas vécu[33]. Comment faire le deuil de ce qui n'a

---

33. Ce sujet a été extraordinairement traité dans certains ouvrages et nouvelles autobiographiques de l'écrivain japonais Kenzaburô Ôé, notamment dans « Agwîî le monstre des nuages », *in Dites-nous comment survivre à notre folie, op. cit.*

pas eu lieu, de ce « on ne sait quoi et presque rien », pour reprendre la formule de Kenzaburô Ôé ? Comment perdre ce qui n'a pas vécu ? Cette dimension, dans la mort d'un fœtus ou d'un nourrisson, du non-accomplissement d'une vie, ce thème de la perte, non pas d'un passé commun, mais de ce que potentiellement l'enfant aurait pu donner s'il avait vécu, est caractéristique de la souffrance des parents entendus au cours des consultations après une mort périnatale. Il s'agit d'une clinique étonnante, bizarre à première vue, et qui donne beaucoup à comprendre sur le deuil en général. Tout se passe comme si, selon la juste formule du psychanalyste J. Allouch[34], le deuil d'un bébé non né se présentait comme le paradigme du deuil : moins aura vécu celui qui vient de mourir, plus sa vie sera restée une vie en puissance, plus dur sera le deuil.

Il existe ainsi une spécificité du deuil après interruption tardive de grossesse et mort fœtale *in utero*, si on le compare au deuil qui suit la mort d'un nourrisson : la perte d'un enfant virtuel, non né, non fini, est sans doute plus difficilement partageable que celle d'un bébé qui a vécu, ne serait-ce que quelques heures. Il existe une cicatrice dans le corps de la mère seulement, mais pas de cicatrice sociale, comme le dit très justement une collègue, Françoise Molénat. On constate parfois une sorte de « deuil anticipé » quand la mère « fait une croix », en quelque sorte, dès l'annonce du mauvais pronostic, sur le bébé possiblement mort ou malformé à la naissance. C'est le deuil d'un infans, de celui qui n'a pas encore parlé, qui n'a jamais pu parler.

On avait, jusqu'à présent, encore moins écouté les pères que les mères ; il y a cependant beaucoup à entendre dans leur souffrance, assez différente de celle des mères. Ils vivent eux aussi une blessure narcissique,

---

34. J. Allouch, *Érotique du deuil au temps de la mort sèche*, Paris, EPEL, 1995.

mais cette blessure se situe davantage dans la fonction contenante, protectrice de la femme enceinte ; leur souffrance est d'ailleurs encore moins reconnue socialement que celle de la mère. Les hommes perçoivent mal, en outre, la culpabilité de la femme qui se reproche tout et n'importe quoi (d'avoir pris un médicament, fumé, bu, trop marché, fait des rangements, etc.). Les pertes du début de la grossesse sont enfin difficilement reconnues par les pères qui y voient seulement un échec provisoire et pensent davantage à l'avenir. Cette banalisation constitue souvent une source de malentendus profonds à l'intérieur des couples qui peut être, dans certains cas, à l'origine de ruptures conjugales. C'est précisément pour éviter ces fractures dans le couple qu'au cours des consultations menées en binôme avec le médecin fœtopathologiste, nous recevons si possible les couples ensemble.

Une des questions récurrentes pour les parents qui perdent un bébé avant la naissance est enfin celle du devenir du corps. On a pu constater dans ces chroniques (si l'on se réfère, en particulier, à ce que disaient les parents des jumeaux mort-nés, dans l'une des séances du groupe de parole) que de nombreux parents se posent des questions à ce sujet. Souvent, il n'y a pas de corps qui puisse être vu : caractéristiques de cette occultation sont les produits de fausses couches après révision utérine, les petits fœtus souvent cachés aux parents ou à peine entrevus. Or, dans l'inconscient, pas de corps = pas de mort... Il n'existe guère non plus, on l'a vu dans les discussions sémantiques autour du mot « accouchement », de représentation sociale de la naissance de ce bébé « en mort annoncée », de cet événement qui se situe entre avortement et accouchement, entre naissance et mort.

En second lieu, il n'y a pas, la plupart du temps, de rituel, pas de funérailles lorsqu'on ne délivre pas de permis d'inhumer (ce qui est le cas pour tous les bébés non

déclarés[35]) et lorsque les funérailles ne sont pas obligatoires (pour les enfants déclarés « nés sans vie »), les
corps sont traités collectivement avec les déchets anato-
miques des hôpitaux, par incinération ou par enfouisse-
ment dans des fosses collectives.

Il existe, à Paris, un non-dit, un malaise, à propos du
devenir des corps des fœtus morts dans les hôpitaux de
l'Assistance publique : ils sont inhumés dans un cimetière
de banlieue, à Thiais, où l'Assistance publique a une
concession, dans un emplacement précis : dit « carré de
la science ». Il existe malheureusement bon nombre de
dysfonctionnements dans le circuit des corps[36]. Nous
sommes quelques-uns à nous battre depuis longtemps
contre cette situation déplorable, propre à la Ville de
Paris. De nombreuses municipalités (en particulier celle
de Lille, pionnière dans ce domaine) ont réservé une partie du cimetière pour ces bébés, morts avant de naître.
Dans d'autres villes, il existe au moins un registre pour
les embryons, fœtus et bébés morts.

Nous continuons à nous mobiliser pour améliorer cette
situation qui n'est d'ailleurs pas conforme au principe
éthique du respect du corps humain, tel qu'il a été rap-
pelé dans une loi bioéthique récente, « relative au respect
du corps humain[37] ». Cette question du traitement (dans
les deux sens du terme) du corps des bébés morts avant
de naître est, on le voit, loin d'être une question annexe ;
elle est, au contraire, fondamentale pour que le travail de

---

35. Ayant moins de vingt-deux semaines de gestation et pesant moins de cinq cents grammes. Voir, sur ce point, les diagrammes en annexe.
36. Des parents ont porté plainte après avoir découvert qu'au cimetière de Thiais, dans le carré où on leur disait que leur bébé avait été inhumé, la terre n'avait pas été retournée depuis longtemps. Nous les avons soutenus dans leur action. Il y a eu enquête... Mais les lenteurs — ou les résistances ? — de l'Administration sont difficilement contournables.
37. C'est la loi nᵒ 94-653 du 29 juillet 1994. À l'article 16, chapitre II, titre I, on lit : « La loi assure la primauté de la personne, interdit toute atteinte à la dignité de celle-ci et garantit le respect de l'être humain dès le commencement de sa vie. »

deuil des parents puisse s'enraciner quelque part, pour qu'ils puissent matérialiser la réalité de la perte. Les psychanalystes savent bien qu'on ne peut faire son deuil de « rien ». On ne peut faire son deuil que du connu.

Un traitement digne du corps[38], la possibilité d'inhumer ces bébés avec les autres membres de la famille, le fait de favoriser leur déclaration à l'état civil, de faciliter leur inscription sur le livret de famille, c'est, en effet, donner une existence symbolique à ces enfants non nés et leur permettre d'être intégrés à l'histoire de la famille. Cela montre aussi aux parents que le soignant reconnaît ce fœtus comme un être humain, et cela même dans les cas où la loi n'y voit qu'un « rien », « un produit innommé », un débris humain ».

Avec la mort périnatale, « c'est l'espoir d'une vie qui est ôté, et avec elle toute espérance d'un sujet », a écrit un des grands juristes français, le doyen Carbonnier[39]. Le fœtus, le non-né, le pas-encore-né, est un sujet au statut incomplet puisqu'il n'y a pas de personne. Mais la trace de l'être humain se repère dans la manière dont des rituels de deuil, quels qu'ils soient, peuvent s'accomplir. Puisse le législateur en tenir compte...

Il me reste à tirer brièvement un dernier fil qui ressort de six ou sept de ces chroniques, fil qu'on pourrait appeler interculturel, transculturel ou ethnopsychanalytique. Je ne fais pas de fétichisme à propos de ce terme, ne recherchant pas une valeur magique ou charismatique dans la prétendue empathie transculturelle que certains disent pratiquer. J'ai depuis longtemps fait mienne une position, somme toute assez classique, bien exprimée

---

38. Il faut savoir que les autopsies sont pratiquées de manière très respectueuse pour le corps du fœtus ; l'intégrité physique du bébé est respectée : à Lille, les parents peuvent revoir leur bébé après l'autopsie. Cela pour éviter les fantasmes parentaux de « bébés coupés en petits morceaux ». Mais la situation n'est malheureusement pas partout aussi bonne qu'à Lille !
39. J. Carbonnier, « Sur les traces du non-sujet de droit », *Archives de philosophie du Droit*, 1989, tome 34.

dans ces quelques lignes, simples et justes, du regretté Paul-Claude Racamier : « Le meilleur de la psychiatrie a toujours résidé dans cette nécessité naturelle de porter aux êtres un regard en plusieurs dimensions et une écoute en plusieurs registres (dont le registre interculturel) [40]. »

À la maternité de l'hôpital Saint-Antoine, nous avons des patients qui appartiennent à une vingtaine de nationalités, pratiquent de nombreuses religions et parlent sans doute plus de cinquante langues. Nous avons des interprètes pour une dizaine de langues dont le chinois (de plus en plus répandu). Je fais cependant relativement peu appel à eux, essayant de me débrouiller plutôt avec quelqu'un de la famille de la patiente (ou avec une voisine d'étage choisie par la patiente elle-même) quand le problème de compréhension est important.

Quant à la question des références culturelles ou religieuses qui ne sont pas celles que je connais directement, je me réfère à la méthode que j'ai décrite au début de ce livre et qui repose sur l'analyse de mes positions contre-transférentielles ainsi que sur l'observation « participante, neutre et bienveillante » des références culturelles qui semblent échapper au champ de compréhension anthropologique. Personne ne peut, au demeurant, être spécialiste « ès toutes cultures ». Bien que française et relativement informée sur les questions interculturelles, il y a, par exemple, des cultures du quart-monde français qui m'échappent quelque peu !

J'ajoute, et ce point me paraît très important d'un point de vue déontologique, que ces patients africains, serbes, algériens, irakiens, vietnamiens, qui nous font confiance et qui consultent dans un hôpital français d'une grande ville, viennent chercher une médecine scientifique qu'ils pensent être « de pointe » et non une médecine tradition-

---

40. P.-C. Racamier, in *La Nef*, n° 31, 1971.

nelle qu'ils pourraient, de toute façon, trouver chez eux, y compris à Paris, où les praticiens d'autres médecines pullulent. C'est cette « médecine de Blancs[41] » que nous essayons de leur donner.

Qu'on me permette de terminer sur une note personnelle. J'ai été, il y a longtemps, étudiante de l'ethnopsychanalyste Georges Devereux, dont l'influence m'a beaucoup marquée. Récemment, deux bonnes connaisseuses de son œuvre ont écrit : « Devereux n'a pas de descendance, il a peu d'élèves, il aura peut-être une postérité[42]. » Je souhaiterais que ce livre s'inscrive dans sa postérité.

---

41. J'assume cette antiphrase, avec l'humour anticolonialiste qui s'impose.
42. S. Valantin (professeur d'anthropologie à l'université Paris-VII) et A. Deluz (professeur au Laboratoire d'anthropologie sociale du Collège de France), « Contrefiliations et inspirations paradoxales : Georges Devereux (1908-1985) », *Revue Internationale d'Histoire de la Psychanalyse*, 1991, 4, p. 605-617.

ANNEXES

CHANT D'UNE RÉFUGIÉE
(poème de Nour)

Me voici seule et désorientée
Sans endroit que puisse nommer « chez moi »
Sans famille sans amis sans argent
Chaque jour apporte plus de chagrin
J'ai très mal au fond de mon cœur
Une douleur impossible à décrire
Tout le monde me déteste
Je suis la pire des choses
Qui puisse arriver à des agents d'immigration
Ils me traitent comme si j'avais une maladie contagieuse
La police me traite comme un grand criminel
Je suis devenue prisonnière
Pour quelque chose dont je ne suis pas fautive
On me harcèle, m'insulte, me maltraite
On me rejette avec mépris
Je n'ai ni la langue ni les moyens pour moi
Aussi je me tourne vers Dieu,
Un Dieu bienveillant, afin qu'il leur donne un cœur
Pouvant éprouver quelque chose pour moi
Et qu'on me traite bien
Me voici seule et effrayée
De l'obscurité et de longues nuits sans sommeil
Alors que je suis allongée, écoutant la voix silence,
Je pense au confort de ma maison
Ce foyer chaleureux que j'avais auparavant
À mes parents, à mes frères, à mes sœurs
Soudain, j'ai le mal du pays
Et je réalise
Que ce foyer n'existera plus pour moi
Je ne serai plus jamais là-bas
Je suis bloquée ici, c'est le vide, la solitude et l'isolement
Je ne peux m'empêcher de pleurer

221

Mon cœur saigne de souffrance et en vue de tout ce qui
[m'attend
Une telle souffrance que même le chagrin ne peut
[exprimer
Le monde est si froid, si cruel
La vie n'a plus de signification
Le monde devrait savoir que ce n'est ni un effort,
Ni une volonté, ni un choix de devenir réfugié
La catégorie de gens la plus méprisée
Cela arrive sans qu'on s'y attende et on se retrouve là,
Sans ressources et accablé
Écoutez, vous tous dans la rue ! !
Il fut un temps où j'étais comme vous
Mais le destin m'a choisie
C'est pour cela que vous me voyez désemparée
Je suis un être humain comme vous
Je suis née d'un homme et d'une femme comme vous
Le sang dans mes veines est rouge comme le vôtre
J'éprouve des sentiments tout comme vous
Alors, ne m'insultez pas
Et, à vous, compagnons réfugiés :
Il faut être sans défauts pour critiquer autrui
Malade et oisive, je regarde ma vie se détériorer
Un jour, optimiste, le lendemain, pessimiste,
Avec des accès d'une maladie indéterminée,
Tout ce que je peux faire, c'est mettre ma main sur mon
[cœur,
Fermer les yeux et prier
Que Dieu me donne la force de supporter,
La sérénité d'accepter les choses que je ne peux changer,
Le courage de changer les choses que je peux changer,
Et la sagesse de faire cette différence.

NOUR

Diagrammes accompagnant la modification du Code civil (loi du 8 janvier 1993) sur les conditions de déclaration de naissance des enfants nés morts.

Diagramme n° 1

Selon les directives (datant de juillet 1993) de la Direction générale de la santé, le certificat d'enfant né vivant et viable doit être établi, même si l'enfant n'a vécu que quelques minutes et/ou même s'il souffre de pathologies ou de malformations incompatibles avec la vie (la viabilité n'étant entendue qu'en termes de durée de gestation et non d'aptitude à vivre) et donc même dans le cadre d'une interruption médicale de la grossesse.

Diagramme n° 2

Dans les cas d'interruption médicale de la grossesse (IMG), c'est dès vingt-deux semaines de gestation qu'il existe des possibilités légales et administratives d'inscription du bébé sur le livret d'état civil ainsi que des possibilités exceptionnelles d'obsèques.

Dans les cas de mort fœtale *in utero*, ce n'est qu'après vingt-huit semaines de gestation (six mois de grossesse) que le bébé peut être inscrit sur le livret de famille. Les obsèques sont possibles si souhaitées par les parents.

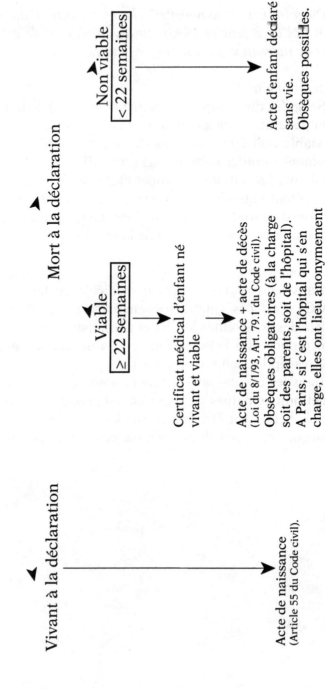

Né vivant

Vivant à la déclaration

Acte de naissance
(Article 55 du Code civil).

Mort à la déclaration

Viable
≥ 22 semaines

Certificat médical d'enfant né vivant et viable

Acte de naissance + acte de décès
(Loi du 8/1/93, Art. 79.1 du Code civil).
Obsèques obligatoires (à la charge soit des parents, soit de l'hôpital). A Paris, si c'est l'hôpital qui s'en charge, elles ont lieu anonymement au cimetière de Thiais.

Non viable
< 22 semaines

Acte d'enfant déclaré sans vie.
Obsèques possibles.

Né mort

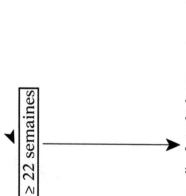

< 22 semaines

Aucun acte.
Enfant ou « fœtus » = rien.
Obsèques exceptionnellement réalisables.

≥ 22 semaines

Acte d'enfant déclaré sans vie
(Circulaire du 24/03/93).
Obsèques possibles.

INDEX DES HISTOIRES

227

TABLE

Cet ouvrage a été réalisé par la
SOCIÉTÉ NOUVELLE FIRMIN-DIDOT
Mesnil-sur-l'Estrée
pour le compte des Éditions Odile Jacob
en avril 1997

Imprimé en France
Dépôt légal : avril 1997
N° d'édition : 2-7381-0488-6 - N° d'impression : 38407